Nゲージファインマニュアル 11

レイアウトの留置線とその実例

JN090835

SHIN企画

本書では電車用の留置線をテーマに選んでみました。レイアウトの線路プランニングの際には，まず本線をこのように引きまわして，駅はこの場所に…と進んでいくことになりますが，併せてこの段階にしっかり検討しておきたいのが留置線の配置形態。本線や駅との接続関係を機能的なものにしたいのはもちろん，ポイントの転換機会が多いので，運転ポジションから目が届きやすい場所にすることも大切になってきます。電車の場合はそのまま逆方向へと出発していけるので，最小限の線路長で済むのですが，ある程度の長さの編成を何本か…となるとそれなりの大きさが必要になるはず。最初からレイアウト本体には組込まないような設置計画を立てる場合もありそうです。

　このように小型レイアウトに持ち込みにくいものながら，運転面からやはり欲しくなるのが留置線です。本書では駅に隣接するような小規模のものを中心に，実物の線路構成，本線や駅との接続関係，各種設備類を紹介すると共に，その模型化についても考えてみることにしました。一部の実例の中に含めた大型車輌基地の留置線も，そのまま縮小アレンジがしやすいと思われるものを選んでおり，その中から気に入ったところや自分のレイアウトに向いたところを集めても良さそう。解説の中では留置線ながら入区や出区，入出区という呼びかたをしているところもありますが，実際にこのように呼ばれているからだけではなく，このほうがわかりやすいと考えたためです。

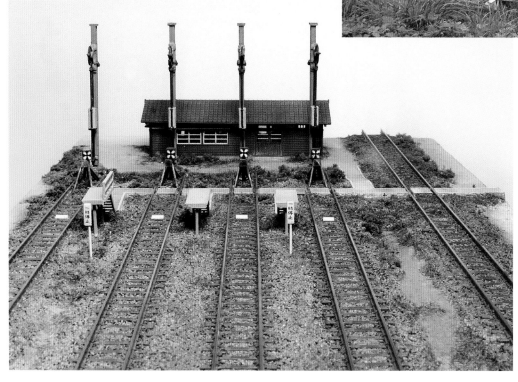

↑小田急電鉄 喜多見検車区唐木田出張所

さまざまな

↑本線から離れて延びた連絡線の先にある留置線。留置用に使われる7線とJR相模線に結ぶ3線などを組合わせた大規模基地である。（相模鉄道厚木駅留置線）↓

↑長編成を何本も収容できる検車区の留置線。手前側にある検修庫の周辺にも大規模な留置線が拡がっている（京王電鉄高幡不動駅）

←↑駅に隣接する留置線だが，それぞれの4線が向かい合う線路配置になっているのが特徴。入出区する列車はすぐ隣の終着始発駅との間を回送運転で結んでいる。（小田急電鉄足柄駅）

電車用留置線

右奥へと延びた3線が留置線。ホーム延長や改良工事に関連して，2022年11月当時は手前の線路やポイントの位置修整，路盤の敷き直しなどが行なわれていた。（JR青梅線青梅駅）↓

↑田園都市線の途中駅ながら，大井町線の急行編成を収容する目的で設けられている留置線。通過線の途中から折り返す形で入区することになるため，駅への到着ルートも特殊なものになっている。（東急電鉄梶が谷駅）↓

←↑ノーマルな途中駅の横に位置する行き止まり式の留置線で，右写真の奥のほうが回送列車が入出区する側。本線上で折り返し運転を行なうことがないため，当然ながら入出区する列車がこの駅を通過することはない。（小田急電鉄開成駅）

↑駅と大規模な検修基地が一体化した広大な構内は，留置線，そして列車収容にも使用される洗浄線を含めて複雑な線路構成。留置線はホームの横やその先の本線沿いに長く拡がっている。（相模鉄道かしわ台駅）↓

↑10本の行き止まり式線路を並べた大容量の留置線。この構内に入出区するためのポイントはホームの先端近くで下り本線へと結ばれており，さらに上り本線との間に片渡りポイントが組込まれている。（小田急電鉄相武台前駅）→

↑両渡りポイントやシングルスリップで結ばれた引上線から折り返し入区する線路のほか，駅の待避線にも連絡線路が結ばれた計5線の留置線。1線にはパンタグラフ点検台も設置されており，規模や雰囲気などからそのまま模型化したくなるような留置線と言えよう。（京王電鉄桜上水駅）

←↑島式ホームを挟む本線の横に9本の線路が整然と並ぶ留置線。本線と入出区線の接続個所には両渡りポイントを挟んでおり，先端に長い引上線を組込んでいるので，留置線からは上り本線側と下り本線側のどちらに進むこともできる。（相模鉄道相模大塚駅）

電車用留置線の考察

レイアウトで運転したい列車はさまざま。運転のたびに車輌ケースから取り出し，リレーラーをセットして…といった手間を省くためには，やはり本線に接続する留置線を設けて常に何編成かを入線させておきたくなります。いちばん簡単なのは**図1**のようにそのまま本線に接続することで，今まで運転してきた列車を留置線に取り込んだら，ポイントを切換えて次の列車を…と極めて実用的な構成。ただ，道床付線路をつないだ程度の運転ならともかく，シーナリィを持つようなレイアウトなら，

留置線もやはり実物に即したものに仕立てたくなってきます。

実物では入区や出区の順序はもちろん，本線列車の走行に影響を与えることがないように着発時間，運転ルートなどが決められており，レイアウトの上でもそのようなものを想定すると，運転の楽しさがけっこうかわってくるように思えます。何列車かを同時運転している中での入出区となると，緊張感まで伴うよりリアルなものになりそうですが，小型レイアウトの場合は先行列車を離れた駅に停めておいて，その間に次の

図1

↑複線区間の途中駅に隣接した3線構成の留置線。入出区線路が分岐する手前には上下線間の片渡りポイントがある（小田急電鉄開成駅）

←↑複線路線の途中駅で見かけた留置線。極く短い行き止まり式線路で，現在は使用されていないものだが，短編成が走る小型レイアウトにはそのまま組み込めそうだ。

列車を出区させる…といったシンプルな運転もお勧め。途中駅での列車交換など，2列車が本線上にいる運転を楽しんだ後に先行列車のほうを留置線へと取り込むのです。

また，実物では基本的に営業列車の留置線着発はないので，駅への連絡関係を意識した運転をすることも大切に思えます。レイアウトの留置線を出発した列車がそのまま営業列車として本線を走行し，ノンストップ走行でエンドレスを何周かした後にそのまま留置線へと帰着…といった運転はやはり不自然なもの。留置線を出発した列車が駅のホームに面した線路へと進み，一定時間の停車をした後に発車していく…といったシーンを挟むだけで営業列車のイメージになってくるものです。

留置線と本線の接続形態にはさまざまな例があり，留置線の規模，駅との位置関係にもけっこう影響を受けるものですが，この項で取り上げてみたいのは使いやすさを重視したレイアウトへの組込み。電車用の留

置線をテーマに，実例にも触れながら，線路配置を検討する際の注目点を考えてみることにしました。

留置線の配置で大切なのは，やはり駅とどのような接続関係になっているかということです。いちばんシンプルなのは留置線が設けられた駅が営業列車の終着駅，あるいは始発駅になっている場合で，これは中間駅と終端駅のどちらでも同じ。留置線と駅を結ぶ前述の運転が実物でも行なわれることになります。

一方，駅に隣接した留置線には後述する例のように，ホームに面した線路にそのまま進入できない線路構成のものもあります。いったん本線上に出てから逆方向に進めば駅へと移動できるのですが，列車密度の高い路線では本線運転に影響するこのような折り返しは行なわれないケースがほとんど。この場合は別の駅を終着始発場所として，その間を回送運転で連絡することになり，大規模な留置線ながら出入りするのはすべて離れた駅と連絡する回送列車という例が多く見られます。このほか，留置線を駅間に設けていたり，少数派ですが本線から分かれた線路の先に設けている例もあり，これらの場合も終着始発駅との間は回送運転になります。

本線との接続形態-1

以上のように留置線はさまざまな形で本線に結ばれており，レイアウトへの組込みかたも考えて図2にわかりやすいパターンを掲げてみました。Aは列車交換駅に隣接する留置線で，駅に直接進入できない構成のものですが，通り抜け式線路が駅両端で本線に接続。すなわち，上り列車と下り列車はどの線にも進入できることになり，到着した方向に関係なく，どちら側にも発車していくことができます。点線で示したように線路が加わると本線が複線になりますが，この場合は留置線との接続個所に片渡りポイントを配したことになり，使い勝手はかわりません。

この線路構成，ある意味では理想的と言えるものですが，レイアウトに持ち込もうとすると弱点も見えてきます。駅の長さに余裕がない場合は奥の留置線がかなり短くなり，ある程度の有効長を得ようとすると駅とのバランスにも影響が出てきそう。もちろんポイントも行き止まり式の留置線より多く必要になり，何線も並べるレイアウト建設では費用面についても気になってきます。

BはAの留置線をそのまま行き止まり式にしたもので，本線上の折り返しをしない場合には入出区方向が左側に限られますが，本線を走る列

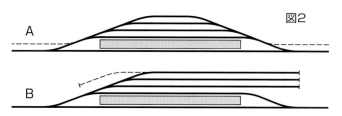

図2

A

B

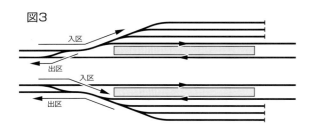

図3

入区

出区

入区

出区

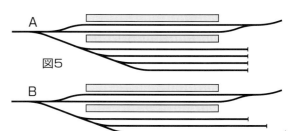

A

図5

B

車をそのまま収容できる有効長を得やすいのが魅力。駅の長さに対しても不自然さを感じない線路構成に思われます。さらに点線で示したような短い留置線を延ばすなどのアレンジを加えるのも良く，ここは事業用電車などの留置場所に手頃で，運転にも変化が生まれそうです。

このBの本線を複線区間にしたのが図3で，やはり左側の先のほうにある駅との間を回送運転で結んでいるという想定。入出区列車に関係しない駅に留置線を並べているのは，やはり設置スペースを得やすいためと思われ，このあたりはレイアウトの場合とあまりかわりがないと言えるかも知れません。この留置線と本線のつなぎかたは実例も多く，2〜3線のものから10線を越すようなものまでさまざま。データイムにはガランとした構内が夜間には次々と入線して来る列車で満線になる大規模な収容基地も見かけます。

図の上と下の線路配置で異なるのは，回送列車の進行方向に対して留置線が逆側に位置していることです。このため，手前にある片渡りポイン

トは出区の際に，あるいは入区の際にそのまま進行できるような向きに組込まれており，これが逆向きだと上下本線の進行方向に対応できないことになります。

このように留置線が駅の先端部分で本線に合流する場合は，その駅と結ぶルートを持てないことになり，これはこの線路構成のいちばんの弱点ということになります。ただ，このような留置線の配置はスペース面から模型化しやすく，駅をこのようにまとめたレイアウトの類例は少なくありません。図4に示したのはこのような留置線を組込んだ小型レイアウトで，駅や留置線を直線区間に配置するとこのようなものになるはず。中でも運転のしやすさから留置線をレイアウトの手前に設ける例は多いのですが，本線エンドレスの内側に位置するものでは，曲線区間にかかった本線が留置線の長さに影響を与える場合も出てきます。

また，本線エンドレスの外側に位置したものでも，図5のAのように終端部を揃えようとすると各線の長さに差が生じることになり，どの線

も同じ有効長となるようにすると，Bのように留置線が占める面積もけっこう広くなってしまいます。ただ，このように有効長が揃っていると各線の入線条件は同一となり，どの列車は○番線が定位置…といった制約も不要。同一編成の列車だけが走る路線では，このような斜めになった終端部の実例も見かけます。

本線との接続形態-2

スペース的にもう少し余裕があるレイアウトならお勧めと言えるのが図6のAに示した駅と留置線の接続。本線と並ぶように留置線を配置し，入出区用の線路を駅へと結ぶことで，どちらからこの駅に到着した列車の入区，どちらに発車する列車の出区にも対応できることになります。これは特に使いやすい留置線と言うことになり，実例もけっこう見かけるもの。複線路線の場合はBのようになるのが一般的で，使い勝手はAとかわりません。

それほど長い直線区間を取り入れ

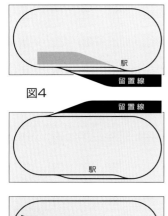

駅

留置線

図4

留置線

駅

留置線

駅

↑駅に隣接した大規模な留置線。基本的には図3の線路構成をそのまま大型化したと言えるもので，夜間に入線してくる列車はいずれも近くの駅から回送運転されている。

図6

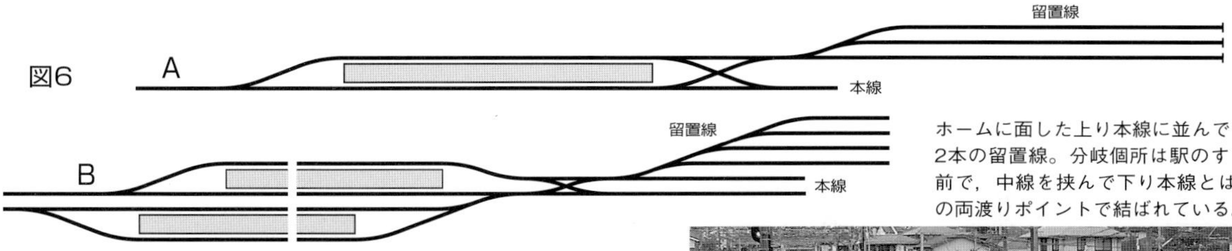

A

留置線

本線

B

留置線

本線

ホームに面した上り本線に並んでいる
2本の留置線。分岐個所は駅のすぐ手
前で、中線を挟んで下り本線とは2組
の両渡りポイントで結ばれている。↓

↑4線で構成される留置線の入口部分。分岐から先の線路は直線状に
延びており、乗降台が設置されたところが入線編成の最後部になる。

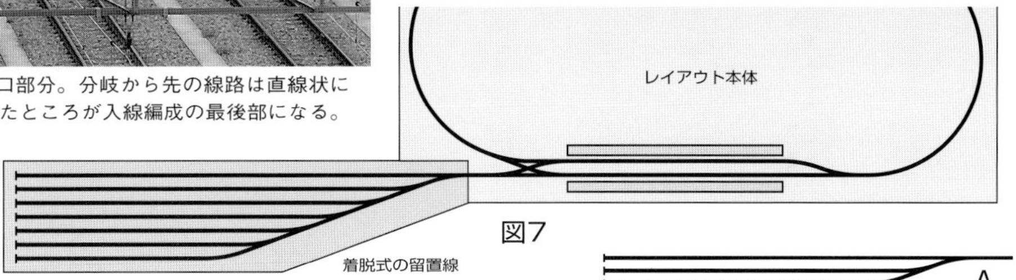

レイアウト本体

図7

着脱式の留置線

A

図8

B

るのは無理…というレ
イアウトなら、**図7**に
掲げたプランのように
留置線部分を着脱式に
することを考えてみてはどうでしょ
うか。これは長い編成を運転する時
にだけ接続するもので、線路を敷設
しただけのボード状のものなら、使
用しない時の収納場所にもそれほど
困らないと思われます。もちろんレ
イアウト本体についても、最低限の
サイズになるので設置スペースが得
やすく、そのままでも短い編成の運
転が成り立つ線路配置にしているの

←駅とかなり離れた車輌基地の
間を結ぶ入出区線の例。上下線
の間を走ってきた入出区線は、
ここで一方の線路をオーバーク
ロスして本線の外側に移動する。

はご覧のとおりです。

このように留置線を着脱式にする
場合は、脱線などのリスク面から、
本体との接続位置がポイントに掛か
らないようにしたいものです。プラン
に描いたように留置線部分が本体に
入り込むような接続を考えるのも良
く、これでわずかでも全体サイズが
抑えられるかも知れません。また、
ボード状の留置線は本体のシーナリ
ィと関連づけなくても良い
と思われ、ポイントのつな
ぎかたの自由度も高そう。
図8はその比較で、**A**と比
べれば**B**のほうが全体留置
量の面で有利であり、ボー
ド自体を小型にまとめられ
ることにもなります。

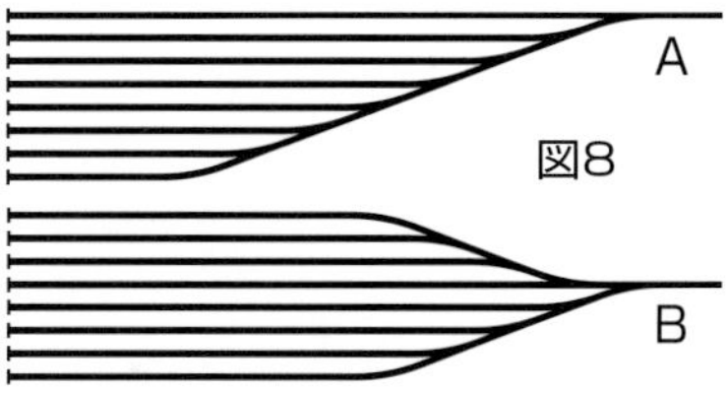

また、留置線の中には駅

から少し離れたところに展開するも
のもあり、電車の窓から基地の様子
を眺めた経験があるファンもいるの
ではないでしょうか。複線路線の場
合は**図9**のように終着列車や始発列
車がある駅に結んだ例が多く、留置
線からの入出区線は駅の中線に接続。
途中に設けた立体交差で本線の外側
に出る線路構成になっていると、入
出区の際にも本線列車の走行に影響
を与えないことになります。

次に駅から離れた留置線を組込ん
だ2種のプランを紹介したいと思い
ます。どちらも留置線部分は前例と
同様にボード状にまとめた着脱式の
もので、こちらもレイアウト本体だ
けで運転ができる線路構成。運転ボ

図9

留置線

駅

入出区線

本線

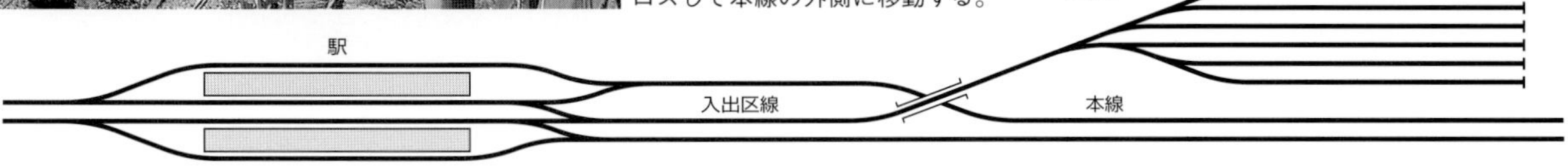

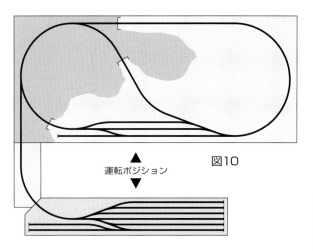

図10

運転ポジション ▲ ▼

図11

運転ポジション ▲ ▼

道床付線路で接続

ジションは本体と留置線に挟まれたところを想定しています。

図10のほうの本体は，留置線からの線路が本線のエンドレス線路と山の中で接続しています。留置線を出発した列車は駅に到着して営業列車となり，エンドレスを何周か走行した後にリバース区間を通って駅に到着。そこから回送列車として留置線へと戻って来ることになります。

図11のほうも基本形態は似たものですが，駅の先の線路と本線の組合わせでデルタ線が形成されており，ここがリバース区間の役割を果たし

ます。ただ，このあたりの線路構成には不自然さも感じられ，ほとんどが隠れる地形にすることを計画。駅を出た線路が2方向に延びているので分岐駅らしく仕立て，それが生かせる運転も考えてみたいものです。

ここから留置線への曲線区間は仮設線路となり，市販の高架橋用道床付線路の使用を想定。短い区間なので，レイアウト本体や留置線部分の台枠に合わせた高さ調整にもそれほど手間はかからないでしょう。また，点線で示したようにそのまま向きをかえた接続もできそうで，この場合はトンネルを抜けたすぐのところから留置線が展開。高架橋線路が続く先にある留置線とは印象が大きく異なる風景になりそうです。

以上のレイアウトプランでは駅と留置線が離れた位置関係になっていますが，実物にも本線の途中で分岐した線路がかなり先にある留置線まで延びている例があります。図12に掲げたのは相模鉄道厚木駅の留置線に至る線路の分岐点で，手前にある片渡りポイントは横浜方面からの，そして横浜方面への回送列車がそのまま進行できるように配置。この分岐点は信号所という名称ですが，現在ではポイントの転換が遠隔操作されているからでしょうか，信号所と

↑留置線への連絡線路が本線の途中で分岐する例。左側の本線がここから500mほどで終点海老名駅に到達するのに対し，右側の連絡線路は厚木駅の留置線まで2km以上も走行する。（相模鉄道相模国分信号所）　↓厚木駅の留置線

図12

厚木（留置線）　厚木線
海老名駅　本　線　相模国分信号所　横浜

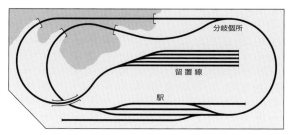

図13

左の2線が下り本線と上り本線、上り本線と両渡りポイントで結ばれて奥へと延びる線路が引上線。ここに進入した列車は折り返し運転で手前に並ぶ各留置線へと入って来る。→

聞いてファンが頭に浮かべるような建物の姿は見られません。

図13に掲げたのはこのような本線の途中で分岐した線路で結ぶ留置線を組込んだプランです。駅から離れた留置線…というイメージを強調するために，本線のエンドレスをオーバークロスしたレイアウトの中央に留置線を配してみました。留置線の配置や連絡線路の分岐個所などはいろいろ考えられますが，一体化して見えないように駅に近づけ過ぎないほうが良さそうです。

本線との接続形態-3

ホームに面した駅の線路とすぐ横にある留置線の関係については，別の駅までの回送運転や直線状に並べた線路構成について述べましたが，もうひとつ触れておかなくてはならないのが引上線を組込んだ構内形態です。図14のように駅と留置線を結んでおけば，ここを経由する折り返し運転によって駅から留置線に，そして留置線から駅へとそのまま転線することが可能。留置線内の移動は本線の列車走行に影響を与えることがなく，線路構成に起因する回送運転も不要になるなど，特に車輌基地と一体化した主要駅では列車運用面のメリットが少なくありません。

ただ，この引上線を組込んだ構内の場合も，線路のつながりかたによって使いやすさには差が出てくるものです。図15のAに示したのは，大きさ的にもレイアウト向きと言える単線路線の途中駅で，そのまま終端駅にもなりそうな線路構成のもの。本線と構内線路は両渡りポイントを介

して結ばれており，これを挟んで右側の本線や引上線，左側の駅や留置線が向かい合っているので，その間ではどのようにも移動できるほか，留置線から直接本線の右側に出る運転もできることになります。

両渡りポイントがあることでこのように自由な移動コースを選べるのですが，組込む場所によっては制限が生じる場合もあります。Bは入出区線より駅側に位置するもので，駅と留置線の間の動きに変化はありませんが，留置線から直接右側の本線に出ていく経路はとれません。Cは逆に駅の分岐個所が両渡りポイントより本線側に出ており，左側から駅に到着した列車，そして右側に発車するために駅に出る列車は，本線上の折り返し運転が必要になります。

Dは両渡りポイントから片渡りポイントに置きかえたもので，設置個

所はAと同じ。ポイントがこの向きに組込まれていると，引上線を介した駅と留置線の連絡関係に変化はなく，右側の本線からやってきた列車がそのまま留置線に入れないという程度のルート制限になります。

Eも同じ場所に片渡りポイントを組込んでいますが，こちらは分岐方向が逆のものを使用。Dとあまり差がないように思えますが，こちらは駅から留置線に，また，留置線から駅への移動の際に引上線に入線することができません。引上線を設けた意味がほとんどなく，やはり避けたほうが良い線路配置ということになるのでしょう。このようにポイントの組込み位置や組込み方向で使い勝手はけっこう差が出るもの。当然ながらプランニング段階に本線上だけでなく，構内の運転まで検討することが大切になってきます。

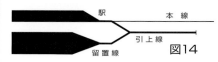

図14

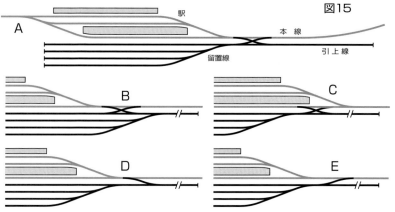

図15

←↑左は本線と両渡りポイントで結ばれた
引上線の留置線側。上は本線と並んで延び
た引上線の終端部。(相模鉄道相模大塚駅)

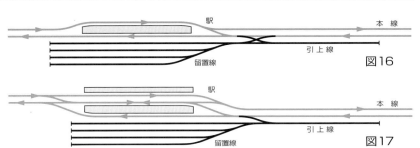

図16

図17

↑留置線の先端部に位置する2線の引上線。
シングルスリップを経由して右側へと延び
た線路は上り本線に結んでいるが、その手
前でもう1本の引上線を分岐する複雑な線
路構成となっている。(京王電鉄桜上水駅)

　図16に示したのは同様に駅と留置線が引上線経由で結ばれた線路構成で、本線が複線区間であることが前述の駅との相違点です。本線のどちらから到着した列車も留置線に進入できることはかわりありませんが、留置線から離れたほうの本線を行く列車は1ヵ所のポイントを通過するだけ。この留置線をローカル運転の

短い列車を収容するところに限定し、特急列車などはそのまま本線を走らせるといった運転も面白そうです。
　やはり留置線がある複線区間の途中駅として、いろいろな運転が楽しめそう…と描いてみたのが図17に掲げた線路構成です。この駅には両方向に発車できる中線を組込んであり、ここには上り列車と下り列車の

どちらもそのまま入線できるようにポイントを配置してみました。
　この中線は本線列車の待避用にも使えますが、この駅を終着、あるいは始発とする列車の運転もしてみたく、その入出区に引上線が生きることになります。引上線で待機していた出区列車は右側からやってきた本線列車の通過後に中線へ移動。さ

←留置線が分岐する左の線路が上り本線、保線基
地に並ぶ右の線路が下り本線で、中線から中央手
前に延びるのが引上線。引上線はこの両渡りポイ
ントで下り本線に、少し手前の両渡りポイントで
上り本線に結ばれており、引上線を経由すること
で両方の本線から留置線へと入線できる。下は上
り線側の両渡りポイント付近で、E233系が走り
去る線路が下り本線である。(JR横浜線小机駅)↓

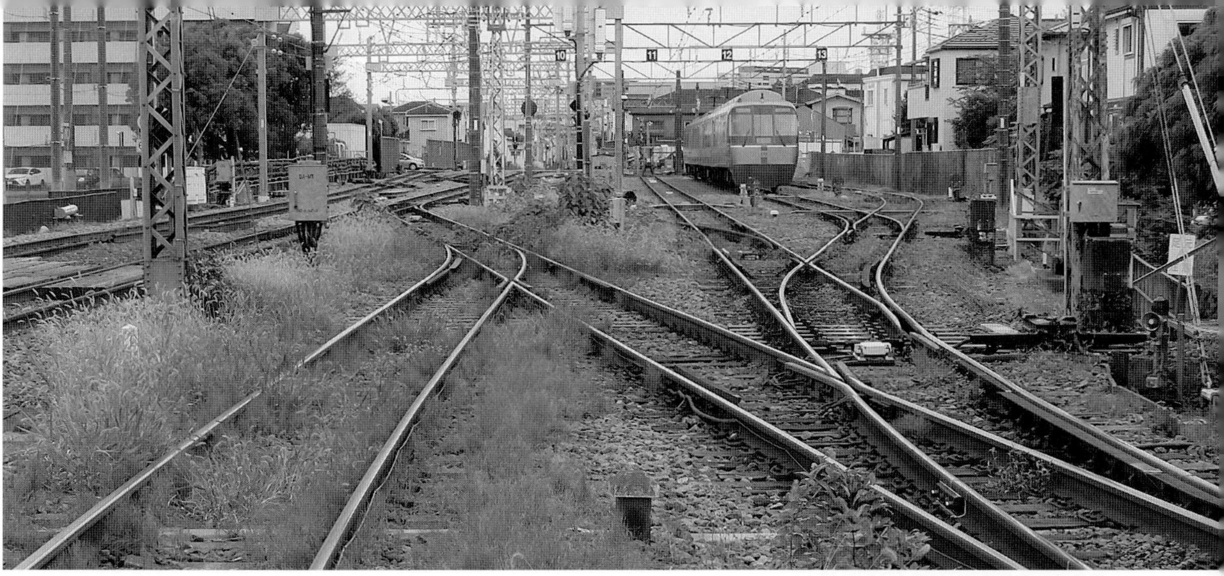

↑図19とほぼ同じ線路構成の留置線。ここは各4線の留置線が2ヵ所にあり，本線から右手前に向かって延びる線路から折り返す形で，もう一方の留置線へと入線するようになっている。（小田急電鉄足柄駅）

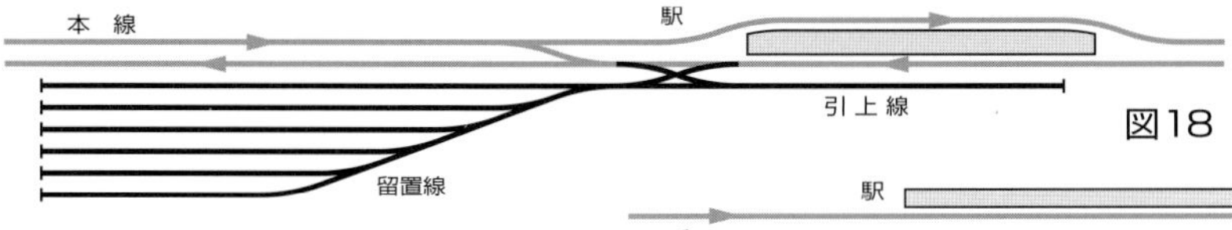

図18

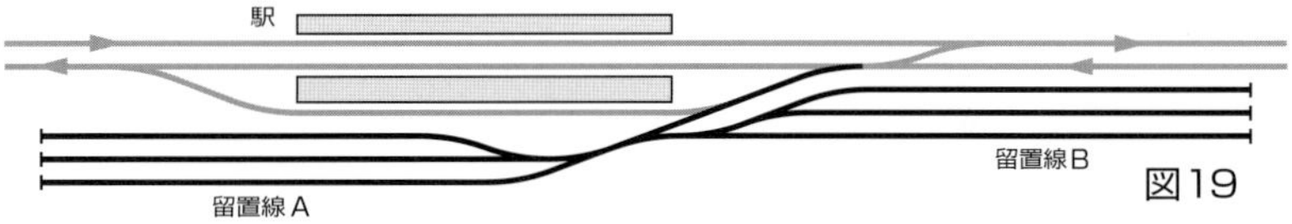

図19

らに左側からやってきた次の本線列車に続く始発列車として同じ方向に発車…といった実際にも見かける運転が楽しめることになります。

次に引上線の変形的な組込みかたについてもご覧に入れておきたいと思います。今まで紹介したものは留置線が駅のすぐ横にあって，引上線はそこから本線に沿って延びていたのですが，その位置関係が逆になっているのが**図18**の線路構成。図16の駅をそのまま引上線側に移動させたものとも言えそうです。

ただ，線路がこのようにつながっていると，駅からそのまま留置線に入ることができるのは右側からやってきた列車で，引上線は左側からの回送列車だけに対応。また，本線上での折り返しをしない場合は出発方向が左側のみという弱点もあります。このように運転方法が限定されますが，駅から少しはずれたところなら大きな留置線用のスペースが得られる…といったレイアウトの場合は気になる線路構成と言えるでしょう。

一方，**図19**は2組の留置線を組込んだ大きな構内の例で，右側の先にある駅との間を回送運転で接続するものを描いてみました。列車が入線して来る線路は駅の待避線と分かれてから留置線Aへと進みますが，ここは留置線Bの引上線も兼ねているのが特徴。Bから本線の右側に出発していく列車も，当然ながらいったんAのほうに入線して折り返し出区することになります。この出区の際にはAの1線を空けておかなくてはなりませんが，無駄がない線路構成と言うことができ，レイアウト向きのものかも知れません。

以上のように引上線は組込みかた次第で駅や本線との連絡に大きなメリットがあるのですが，小型レイアウトの場合は取り込みに意外と苦労することがあります。いちばん頭を悩ませるのは本線と並んで延びるために，単線路線のレイアウトではそのあたりが複線区間のように見えてしまうこと。留置線がエンドレスの内側にある場合はどうしても**図20**のようになってしまいます。

その点，留置線がエンドレスの外側にあると引上線を延ばす方向に変化をつけやすく，**図21**には本線と離れるように引上線を真っ直ぐに延ばした例を掲げました。小型レイアウトの場合は**A**のようにこの部分を着脱式にすることを考えても良いでしょう。また，**B**のほうはいくらか複雑な線路構成ですが，引上線をはずした状態でも留置線が使えるような入出区ルートを加えてみました。

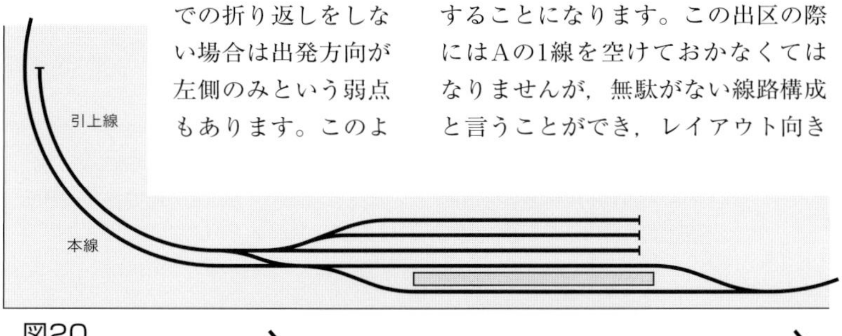

図20

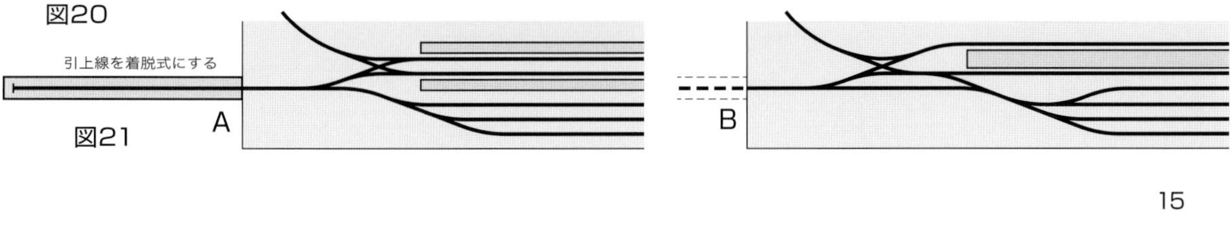

図21

↑路線の途中駅ながら折り返し運転が必要な線路構成となった駅。線路の先に並ぶ車止めは終端駅のイメージで，近代的なホームとの組合わせもあって，ファンの目には絶好のプロトタイプに映るのではないだろうか。(西武鉄道飯能駅)↓→

終端駅の留置線ほか

留置線を駅や本線と機能的に結びたいのは途中駅の場合とかわりませんが，終端駅の場合は到着した列車がある程度の間そのまま停車していることも少なくないはず。その到着を待って先着列車が留置線のほうに移動するような例も見かけます。留置線と駅の位置関係は言うまでもなくさまざまですが，図22には模型化しやすいと思われる線路構成をいくつか描いてみました。

Aは駅の先がそのまま留置線になったシンプルな配置で，この使いやすさについては述べるまでもないでしょう。Bは駅と留置線を並べて両者を引上線で結んだものですが，運転内容は基本的にAと同一。島式ホームの設置を想定していて，列車が到着したら反対側で待機していた列車が発車…といった運転を楽しみたくなります。頭端式ホームを想定したCは到着列車が本線側に引上げて留置線へと移動する線路構成。ホームに面した線路の一方からは，反対側に位置する留置線にそのまま入線することができないので，こちらは

主に折り返し列車が使用という設定にするのも良さそうです。

Dは複線路線の終端駅で，島式ホームを挟む線路のうちの一方は，そのまま折り返して発車していく列車が使用。留置線に入る列車は引上線へと入線することになります。なお，この接続個所には両渡りポイントを組込んであり，留置線からそのまま本線へと出て行けるようになっていますが，発車する列車を必ず駅に入線させるのなら，ここは片渡りポイントでも済むことになります。

Eも複線路線の終端駅で，こちらは前述したAと同様に駅の先がそのまま留置線となった使いやすい線路構成のもの。列車が到着できるのは島式ホームを挟む2線に限られますが，留置線から出た列車は3線のいずれにも進入できるようになっています。本線列車の着発方向が片側だけという終端駅の特徴を生かし，駅の中線を引上線代わりに使った留置列車の転線運転も面白そうです。

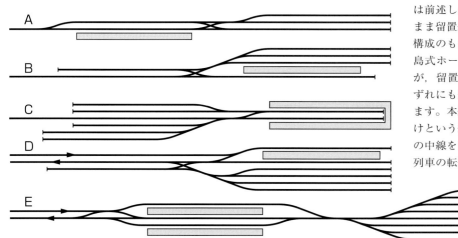

A

B

C

D

E

図22

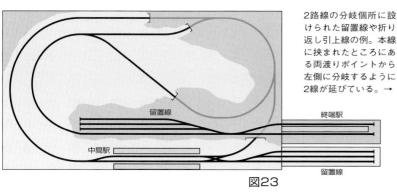

2路線の分岐個所に設けられた留置線や折り返し引上線の例。本線に挟まれたところにある両渡りポイントから左側に分岐するように2線が延びている。→

図23

図24

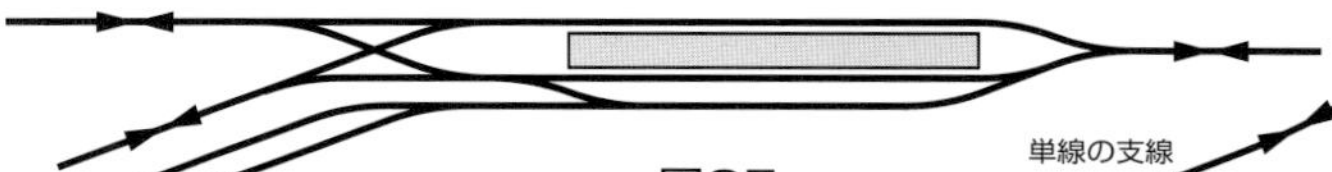

図25

単線の支線

支線列車の留置線

複線の本線

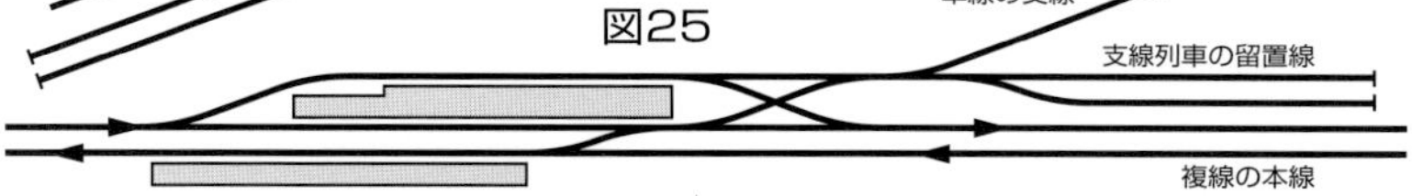

↑この駅で折り返す列車の引上線と思われる，上下本線に挟まれて延びる2本の線路

図23に描いたのは中間駅と終端駅の両方を組込んでみたレイアウトのプランで，それぞれに留置線を設けているのはご覧のとおり。終端駅部分，及び中間駅の留置線部分はやはり着脱式にすることを想定しており，両者を一体のものにすることを考えても良いでしょう。このように留置線に余裕があればさまざまな列車の運転を楽しむことができ，このプランのようにリバース区間を組込んであると，先に発車した列車と後から発車した列車が中間駅で交換するような運転も可能。さらに途中で留置線に出入りさせたりすると，運転はより複雑で楽しいものになってくるように思えます。

もうひとつ，分岐駅に接続する留置線についても触れておくことにしましょう。分岐駅は途中駅と終端駅の要素が混じる場合も多く，都市圏の大きな駅では線路のつながりかたがわからないような例も少なくありません。あまり規模の大きなものは模型化の参考にならないと考え，ここではレイアウト向きと言える2つの例を掲げることにしました。

図24は単線路線が2方向に分かれていく小さな駅で，留置線とは駅の側線を経由した連絡関係。島式ホームを挟む2線からは直接入線できませんが，近年は見かける機会も少なくなったローカル路線の分岐駅といったイメージなので，いったん本線に引上げて折り返す…といった運転も不自然ではなさそうです。

もう1例として図25に示したのは複線の本線から単線の支線が分岐する駅で，支線の列車は閑散時間帯にここを終着始発駅として運転，朝晩は一部の列車を本線から支線へと直通運転…といった路線を想定。分岐する線路に挟まれた留置線は支線の列車だけが入線するところとして短いものにしてあります。

少数派と思われますが，最後に写真を掲げたのは高架区間で見かけた留置線の例です。列車の折り返しに使用する引上線の一種かも知れませんが，近代的な風景が拡がるレイアウトを好むファンには気になる線路構成ではないでしょうか。

■

以上，さまざまな留置線の形態，そしてレイアウトへの取り入れかたなどについてまとめてみました。ただ，あらためて述べるまでもなく，実物の構成をそのまま模型化できるわけではなく，レイアウトに応じたデフォルメも必要。運転をしない列車の待機場所として留置線路が埋まっていると，機能的な接続に思えた入出区線も効果を発揮できないことになります。また，特に本線がエンドレスひとまわりだけといった小型レイアウトの場合は，先に発車していった列車がすぐに出発点に戻って来るもの。後続列車をどの時点にどのルートで出区させるかについては，駅と留置線の接続具合も関連してくるでしょう。余裕ある運転のためにはやはり本線の長さ，駅のある場所と留置線の接続関係，さらには常にレイアウトに入線させておく列車の本数を抑えるなど，模型なりのバランスが必要のようにも思えます。

途中駅に隣接した留置線「南武線の3例」

↑ホーム上から眺めた構内。早朝にはこの3番線から当駅始発の上り川崎行きが発車する

南武線は東海道線川崎駅と中央線立川駅を結ぶ全長35.5kmの路線。現在では平日の最多時間帯に3分ヘッドという密度の高い運転が行なわれており，この運用を鎌倉車両センター中原支所（旧中原電車区）に所属するE233系8000番代の6輌編成30数本で担っています。本線と結ぶ入出区，

運転閑散時間帯や夜間の留置は当然ながら中原支所を中心に組立てられていますが，川崎駅と路線中間地点である登戸駅の間の3駅には留置線が設けられており，平日のデータームには何本かのE233系が駐留。いずれも駅の横に留置線が拡がっており，

```
立          登 宿   武          矢 川
川          戸 河   蔵          向 崎
            原   溝
               ノ
               口
```

ホームの上からは構内の様子や設備類を眺めることもできます。

現在では距離がそれほど離れていない駅に分散収容している路線の例をあまり見かけなくなりましたが，これらは集約大型車輌基地と異なって線路の本数なども少なく，レイアウトファンには模型化時に絶好の参考実例となるもの。この項ではこの3駅──矢向駅，武蔵溝ノ口駅，宿河原駅の留置線の構成，本線や駅との接続，入線関係などについてまとめてみたいと思います。

川崎側から眺めた矢向駅とその横に展開する留置線。2022年改正時点では土休日のデータイムに入線する運用はなく，最終始発列車発車後の構内は静かな雰囲気に包まれる。↓

↑上り川崎行きが到着した矢向駅2番線。隣接する線路の3編成を含め，川崎側から回送運転で到着した4編成は夕方まで構内に留置される

引上線　電3　電2　電1　南武線矢向駅　図1
立川　3（上1）　上2　留2　留1
2
1　川崎
駅本屋

矢 向 駅

　かつては砂利採取線や川崎市場専用線などに至る線路まで結ばれ，構内に蒸気機関車用設備も見られた矢向駅ですが，現在では線路配置も大きくかわり，何本ものE233系が駐留するだけの構内になっています。ここは川崎からわずか2駅という立地

で，入出区関係はすべて川崎と結ぶ形に設定。入区列車はいずれも下り回送列車で到着し，川崎へと発車していく出区列車のほとんどは当駅を始発とする列車になっています。

　図1に掲げたのは矢向駅の構内線路構成で，留置線はホームの横に，そしてそこから折り返すように川崎

側へと延びています。本線との接続個所は川崎側のみで，入口のすぐ手前には上り本線と下り本線を結ぶ片渡りポイントを配置。川崎からの回送列車はここを経由して構内へと入線することになりますが，この入区例については後述します。一方，出区列車は3番線（上り1番線）を経由す

↑上りホームの立川側エンド。3番線の手前は引上線に結ばれており，出区列車をそのまま始発列車にできる線路構成となっている。

↑本線の川崎側に位置する片渡りポイント。ここは川崎から到着する回送列車の入線ルートで，その先の分岐が留置線へと結ばれている。

ることで前述のように当駅を始発駅とする列車にもなり，本線へと進入する時に下り本線の列車走行が影響を受けることもありません。

　ホームの横の構内線路となるのは上り2番線と電留1〜3番線で，これらは3番線と共に立川側に延びる引上線に接続。入出区線や引上線との接続関係は3番線と上り2番線で差がありませんが，平日の夜間には構内線路が満線になるため，翌朝の3番線からの発車順序を考えて留置場所が決められているようです。川崎側へと延びる留置線は留置1番線と同2番線ですが，こちらへの出入りは引上線での折り返しがないだけにシンプルなものとなります。

↑上りホーム上から留置線の立川側を眺める。5本の線路の先は引上線に結ばれており，ここに見える乗降台は言うまでもなく出区用に設けられているもの。その先に設置された入換信号機が構内移動を案内するが，入出区線から続く線路の先に付いた列車停車標識，ATS-P確認表示板も模型化時には見逃せないものと言えよう。

↑同じ上りホーム上から3番線（上り1番線）越しに眺めた川崎側。行き止まり式となった奥の電留1〜3番線と共に，通路線を兼ねる上り1番線にも乗降台の姿が見える。

↑旧型国電一色だった南武線にも1976年から101系が，そして1982年からは103系が登場。矢向駅に隣接する留置線の雰囲気もかなりかわることになった。（撮影：1983年1月）

↑3番線（上り1番線）と上り2番線が合流する入出区線部分。この出発信号機には川崎側留置線への入線を案内する入換信号機が併設されている。下は入出区線の近くから眺めた川崎側で，E233系が入線しているのが留置2番線。右側の線路の先では留置1番線を分岐しており，さらにその先で上り本線，下り本線に結ばれている。↓

↑留置2番線と川崎行き列車が走行する上り本線。この間を通っているのが入出区線で，上り本線への合流点まではかなりの距離がある。

↑川崎側留置線の終端部分。留置2番線から分岐する3線はすべて非架線域となっており，ここは保線車輌の基地として使用されている。

←↑列車Aが到着。3番線（上り1番線）に入線してから逆方向へと進行し、留置2番線に入線する。出区は明朝の始発電車で、そのままホームに面した3番線に入り、入出区線経由で川崎側へと発車していく。↓

　前述のように矢向駅の留置線に入線する列車はいずれも川崎から回送列車で到着。上り本線を横切って構内へと入ってきます。平日は朝の通勤通学時間帯が過ぎるとこの入区が相次ぎ、2022年改正時点には30分の間に4本の到着を設定。ホーム上からは引上線を使った構内移動の様子などを眺めることができます。

　同様の運転は夕方の通勤通学時間帯の後にも見られることになりますが、ここでご覧に入れるのは9時過ぎに始まる入区転線シーン。レイアウトの上でも、運転する順序を考えて到着列車の留置場所を考えるのも面白いのではないでしょうか。各写真の説明では各列車を到着順に列車A、列車B〜のように呼んでおり、図2にはそれぞれの転線や出区コースまで描いておきました。

↑8分後にやってくる列車Bも同様に3番線に到着。こちらは一旦停車をした後にそのまま引上線へと向かい、折り返して電留3番線に入線していく。出区の際も当然ながら引上線を経由することになり、3番線から始発電車として川崎側に発車していく。

図2

列車Aの入区と出区
留置　　出区
◁ 立川
発車（始発）　　到着と転線
上り本線に合流
下り本線から入区　　川崎 ▶

列車Bの入区と出区
転線　　留置　　出区
出区
発車（始発）　　到着と転線
上り本線に合流
下り本線から入区

列車Cの入区と出区
転線　　留置　　出区
出区
発車（始発）　　到着と転線
上り本線に合流
下り本線から入区

列車Dの入区と出区
出区（発車）　　到着と留置
上り本線に合流
下り本線から入区

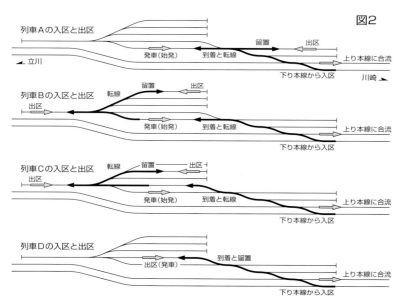

←↑列車Cは上り2番線に到着し，やはり引上線経由で電留2番線へと入線する。左写真からわかるように列車Bは既に引上線のほうに移動しており，上はその列車Bが電留線へと走行する様子。電留1〜3番線への留置はほかの列車の構内移動に影響を与えることがなく，列車Cは列車Bと同様にシンプルなルートで出区していく。

↑やはり引上線から電留線のほうに移動する列車Cと，先行留置されている列車B。電留2番線と電留3番線は線路有効長にいくらか差があるが，停止位置はこのように揃えられている。↓

↑列車Cの到着から14分後には，データイムの最終回送列車Dが上り2番線に到着。出区は明朝で，始発用の3番線への転線時間が得られないためか，この列車のみ回送運転で川崎へと走行する。

↑川崎側から眺めた武蔵溝ノ口駅と留置線。ホーム1, 2番線が曲線区間に掛っているのに対し, 留置線は真っ直ぐに延びているのがわかる

武蔵溝ノ口駅

矢向駅が川崎着発列車のサポート基地になっているのに対し, この武蔵溝ノ口駅は4駅離れた登戸に着発列車の留置場所として機能しています。川崎からやってきた列車が登戸でそのまま折り返す運用は少なくありませんが, 閑散時間帯には登戸到着後に運用からはずれた列車の一部

を武蔵溝ノ口まで回送運転して収容。本線運用へと戻る出区列車も登戸までの間は回送運転を行なうことになります。

図3に掲げたのは武蔵溝ノ口駅の構内線路構成で, 本線列車が着発する線路のうち, 2, 3番線は島式ホームを挟む配置。川崎側, 立川側の両方に上下本線を結ぶ片渡りポイントが組込まれています。3番線の横に並ぶ2本の留置線は, 東急田園都市線の高架下の曲線区間で分岐して, そのまま川崎側へと真っ直ぐ延びる配置。この2線はシンプルな行き止まり式のものになっています。

登戸からの到着列車は図4に示したように立川側の片渡りポイントの先で下り本線を横断して入線し, 出発列車はそのまま下り本線へと入り込んで行くわかりやすい入出区形態となっています。なお, 武蔵溝ノ口駅関連の運用としては, 長時間の駐留ながら留置線に入らないものもあり, 深夜に武蔵溝ノ口止まりとして3番線に到着した列車は, 翌朝に当駅始発の登戸行き下り営業列車として発車していきます。

図3

南武線武蔵溝ノ口駅

図4

↑上りホームの立川側先端から眺めた3番線や留置線の下り本線合流個所

↑立川側から眺めた宿河原駅と留置線。武蔵溝ノ口駅と同じ線路構成に見えるが，上りホームの左側の線路は留置線として機能している

宿河原駅

登戸のすぐ隣に位置している宿河原駅にもホームの横には2線の留置線が展開しています。武蔵溝ノ口のものと似た構成，そして同規模の留置線と言えますが，**図5**の構内線路配置のようにこちらは行き止まり式と通り抜け式の2線で構成されているのが特徴。前者の入出区ルートはもちろん川崎側となりますが，後者の場合はこの入出区方向だけでなく，立川側からやってきた列車をそのま

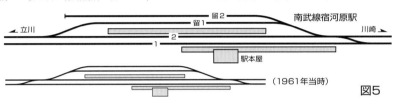

図5

ま引き込むことができます。

図の下側に掲げたのは1961年当時の線路配置で，待避線としても使われていた2線はどちらも通り抜け式。南武線の全6輌編成化時に有効長の関係から留置2番線のほうが行き止まり式に変更されたものと推察され，

武蔵溝ノ口駅の留置線にも同様の線路変更が行なわれています。また，留置1番線は上り本線と島式ホームを挟むような線路構成に見えますが，ここは本線走行から独立しており，矢向駅や武蔵溝ノ口駅のように，留置列車をここから始発の営業列車と

←↑左は川崎側からやってきた回送列車が宿河原駅の留置線へと入線してくる様子。当然ながら上り本線の出発信号機は停止を現示しているが，この2分後には川崎行きの上り列車が宿河原を発車する。上は早朝の出区シーンで，先頭側2輌ほどが本線へと入り込んだ状態。向こう側に停車しているのは稲城長沼で折り返す下り列車である。

して運転することはできません。

図6は列車の入出区ルートを示したもので，2022年改正時点では平日朝の通勤通学時間帯を過ぎた後に武蔵溝ノ口止まりの列車が回送運転で到着。川崎側の片渡りポイントで反対側の本線を渡って留置線へと進入してくるのはほかの駅の場合とかわりません。一方，夜間には登戸からの回送列車が立川側からそのまま留

置線に入ってくる運用があり，この列車は留置1番線へと到着。この進入ルートに備えて，川崎側からの先着列車が留置2番線に入線しているのは言うまでもありません。

出区はどちらも翌日の早朝で，わ

ずか16分の差で川崎側へと発車。この2列車は武蔵溝ノ口で回送列車から営業列車へとかわります。

最後にご覧に入れる図7はこの留置線で見かけた信号機や設備，標識や表示の配置を示したもの。3駅の

図6

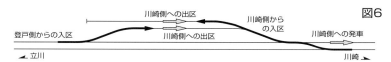

↑上りホームから眺めた立川側。このあたりでは留置1番線がカーブを描いており，遠目からも2基の乗降台が平行でないことがわかる

図7

停止位置表示　　　　一旦停止表示　　停止位置表示　　　ATS-P確認表示

車止め　　　　　　　　　　　　　　乗降台　　　　　　留置1番線出発信号機

乗降台　　　　　　①　②　　　　　　　　　　　　　留置2番線出発信号機

速度制限標識 25　　　　　　　②　　　　　　　　　　　　　　　本線出発信号機

上りホーム　　　　　　　　　　　　上り本線　　　川崎

②

①

立川　　下り本線　　　　本線場内信号機　　本線出発信号機　　　下りホーム　　　　　　　　　　35 速度制限標識

↑留置線で発車時間を待つE233系2編成。行き先表示部分に「回送」が掲げられている。

中でも宿河原駅の線路構成，本線との連絡関係などは特にレイアウトに取り入れやすいものと思われます。

　出発信号機や場内信号機については言うまでもありませんが，小さいものながら列車進行側の制限速度を記した制限速度標識，ATS方式の確認表示板，一旦停止の表示もレイアウトの留置線をそれらしく見せるためには必要なもの。乗降台については工作例と併せて別項の解説のほうを参照していただくことにします。

↑留置線から本線への合流個所。この先に見える出発信号機は上り本線用で，留置1番線と留置2番線用は少し手前に設置されている。

↑南武線を走行する貨物列車の先頭には1949年からED16が立っていたが，区間運転の貨物列車には蒸気機関車も長く活躍していた。これは現在の留置1番線に当る側線に停車中のC12牽引列車。本線列車の通過を待っているシーンと思われる。(撮影：1964年10月)

留置用にも使いたい駅の構内線路

それほど大きな駅でなくても見かけることがあるのが、ホームに面していない側線や中線。多くはこの駅に停車しない急行列車などが先行列車を追い抜いたり、貨物列車が後続列車を待避するのに使われるようですが、中には留置線の用途を持つものもあります。ここへの留置は運転閑散時間帯の収容が中心と思われますが、季節臨や多客臨、団臨など、臨時列車の一時的な駐留、近くの駅からの引上げ留置などにも使われるようで、思いがけない列車と出会う機会もないとは言えません。

ここに掲げたのはいずれも3線の途中駅で、図1に示したのはJR青梅線の古里駅と宮ノ平駅の線路構成。ホームに面していない線路はかつて何本も設定されていた専用貨物列車の待避線で、同線の単線区間には狭いピッチでこのような駅が見られます。現在では終点奥多摩からの折り返し運用に入る列車が古里駅に留置されることがあり、時間によっては上下線と合わせて3列車が並ぶのかも知れません。また、以前は臨時列車ながら客車編成も入線。こんな小

この日は団体臨時列車として運転されるお座敷客車「江戸」が青梅線内に登場。乗客が乗り込むのは手前の駅だが、回送列車は少し離れたこの駅まで走り、中線で客車から離れた牽引機EF64は上り線を経由して出発側へと転線している。
　　　　　　　　　　　　（青梅線古里駅・1986.5）↓→

↑特急電車の通過線だけでなく、臨時運用の回送列車の着発にも使われるという中線を配した西武鉄道仏子駅。ご覧のように近代的なレイアウトに似合う駅と言えよう。

↑島式ホームを挟んだ交換駅の側線に、ED16が牽引する石灰石の輸送列車が到着。1つ手前の駅からこちら側は単線区間となっており、上下本何かの旅客列車の通過を待ってしばらくこの駅に停車している。　　（青梅線宮ノ平駅・1983.1）

さな駅で機まわしを行ない、発車時間までしばらく待機する姿には何とも模型的なものが感じられました。

　一方、本格的な留置線を設けるほどの余裕がないレイアウトの場合は、駅が留置線の役割を果たすことになり、そこをほとんど居場所にしている列車もありそう。前述のように近くの駅から引上げてきた列車が帰りの運転までこの駅で待機する姿とするなら、たまにはジョイフルトレインや事業用列車なども登場させたくなってきます。貨物列車なら何本か

の旅客列車をやり過ごす長時間停車のようにも見えるので、発車してしばらく本線を走った後に、別の貨物列車としてまた入線…といった運転になるかも知れません。

　上下列車が交換するだけの2線の駅に対し、1線が加わるとこのように変化に富んだ運転を楽しめることになり、さらに3線、4線〜と線路数が増えれば、より複雑な運転を持ち込むことができることになります。

図2に示したのは同様の実例も多く、また、あまり無理なくレイアウトに取り込むことができそうな線路構成いくつか。いずれも単線路線を想定したもので、複線区間にするなら、使いやすい構内になるようにポイントを追加することも必要です。このほか、さまざまなアレンジも考えたいところですが、線路を延ばして本格的な留置線を作るような計画があるなら、ノーマルな線路構成のものにしておくほうが無難と言えそう。もちろん駅の規模にもよると思いますが、本線はコンクリート製枕木で側線は木製枕木に…とか、側線のほうは少し雑草が生えた様子に…のように、線路の表情に変化をつけてみるのも良さそうです。

青梅線古里駅

青梅線宮ノ平駅

図1

↑貨物列車の入線機会がなくなったために雑草が生い茂る古里駅の中線。上下本線との線路メンテナンスの差は歴然で、レイアウトの駅でもこんな表情の差を演出したくなるファンがいるかも知れない。

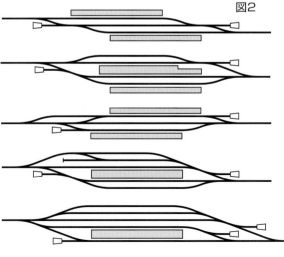

図2

フロアー運転の留置線

1

2

3

4

　KATOのユニトラックやトミックスのファイントラックなどを床面に敷く，いわゆるフロアー運転の場合ももちろん列車の待機場として留置線が必要になってきます。これらの道床付線路ではメーカーのシステムが確立されており，ポイントや曲線半径との関連で線路間隔を自由に決めたりすることは難しいのですが，運転が済んだら分解して収納できることが大きなメリット。シーナリィ付の本格的なレイアウトではスペースの面で駅を作るのがやっと…という場合も少なくないのですが，1ヵ所でもレイアウトの端まで線路を延ばしておけば，そこにつないだ道床付線路の先に何線もの留置線を展開させることができます。

　この項に集めたのはそんな留置線を仕立てる時に参考にしていただけそうないくつかの工作。そのままはユニトラック，あるいはファイントラックのどちらかだけにしか対応

できないものもありますが，いずれも機能に関連するものではないので，内容を置きかえたり，手持ちの素材類を生かすような工作を考えてみるのも良いのではないでしょうか。

■線路間隔の保持

　道床付線路を使った留置線は，入口部分のポイントから何本かが長く延びている配置が多く，運転を続けているとどうしても線路が床面上を移動してしまいがち。脱線などのトラブルはほとんどないのですが，各線が平行に並んでないとあまり見映えが良いものとは言えません。

　その時に使用したいのがそれぞれのメーカーの架線柱に付属している取付座で，途中の何個所かに挟むこ

とで一定の線路間隔を保ってくれることになります。これを挟んだところの線路がわずかに持ち上がり，列車が走行するといくらかフワフワすることが気になりますが，シンプルで実用的と言える構造のものです。

写真1はこの座の幅を少しでも拡げて床面との接触面積を増やそうと，下側に幅20mm程度のプラ板を貼り重ねてみた様子です。これはファイントラックへのセット状態で，**写真2**は手前がユニトラック用，奥がファイントラック用。0.5mm厚のプラ板を両面粘着テープで止める簡単な工作をしましたが，1線用をいくつもつないで使うファイントラック用はずっと扱いやすくなりました。

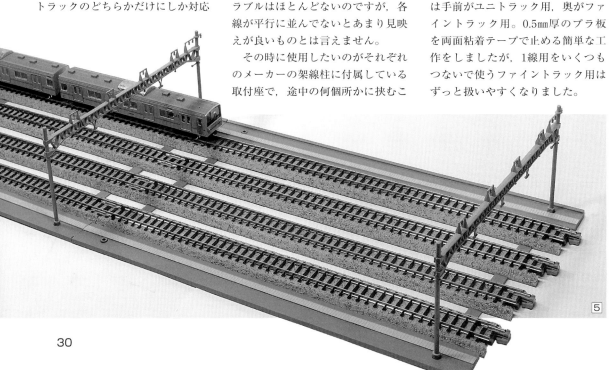

5

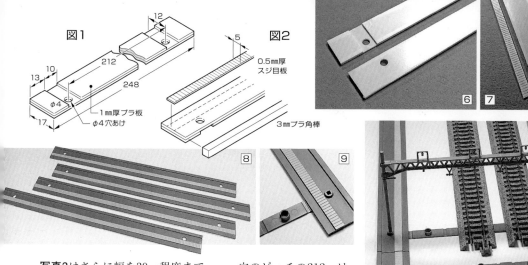

図1　図2

12
212
248
13　10
φ4
17
1mm厚プラ板
φ4穴あけ

5
0.5mm厚
スジ目板

3mmプラ角棒

6 　7

8　9 　10

写真3はさらに幅を30mm程度まで拡げて安定性を増したもので，これなら線路のつなぎ目に渡る挟みかたもできそう。こちらも0.5mm厚のプラ板を材料に作ったもので，着色にストーン調スプレーを使ってみたところ，いくらか地表らしさを出せたように思えます。写真4はこれを使って仕立てた4線の留置線です。

■取付式の路肩

写真5に示したのは4本のユニトラックを「4線式ワイド架線柱」で結んだ留置線で，両端の線路の外側には簡単ながら路肩部分を表現。これは架線柱の支柱の根元部分を利用した取付式のものですが，これが付くことで組立強度が増してきます。

この路肩部分は1mm厚のプラ板を2枚重ねにしたもので，いちばん長い直線であるS248用の寸法を示したのが図1。穴のあいたところが架線柱の設置場所で，このあたりだけは片方のプラ板が途切れますが，それがわかりやすいように上下を逆にした状態を描いておきました。

穴のピッチの212mmは道床の裏側に出たボスに合わせたもので，これによって線路の位置が決まるため，正確にあけることが必要。線路の長さによって穴のピッチは異なるので，使用するユニトラックのチェックも忘れないでください。穴あけに当たっては，当然ながら最初にφ1程度の小孔をあけ，次はφ2程度の…と徐々に拡げていくようにします。

写真6は以上の工作が済んだ様子で，これで一応実用になるのですが，実際にユニトラックや架線柱の座と組合わせてみると強度不足が感じられ，経年の反りも心配です。そこで図2のように横に3mmプラ角棒を追加取付。上面に貼った通路は0.5mm厚のスジ目板で，強度の向上に貢献するとは思えませんが，線路まわりの印象は少しかわってきました。この組立状態が写真7，塗装を済ませて完成した状態が写真8です。

写真9，10は線路敷設の様子を示したものです。先に床面上でこの路肩部分と架線柱取付座を口の字形に組合わせておき，取付座のパイプ状の突き出し部分に道床の裏側のボスを差し込んでいけば線路のセットは完了。この状態でジョイナーをつないでいけば良いのです

が，先に何本かをつないでおいた線路を差し込むこともでき，どちらが作業しやすいかは留置線の長さによってかわってくるかも知れません。写真には全体構成がわかるように架線柱の設置状態を示しましたが，実際にはいちばん最後にセットするほうが無難と言えるでしょう。

架線柱の取付座は前述のように道床裏側に出たボスによって位置が決まるので，設置するピッチは自由にならず，また，線路の長さによって設置位置がかわってくる場合もあります。取付座に必ず架線柱を立てなくてはいけないわけではないので，それらしい設置ピッチになるように調整してみてください。

■固定式レイアウトからの延長

最初に触れたようにシーナリィを持つレイアウトの先に道床付線路の留置線をつなぐこともあります。ここではそのような延ばしかたについて考えてみることにします。図3に掲げたのはその一例で，各線の先にそのまま直線を何本もつないでいくというパターン。フレキシブル線路を敷設したレイアウトなら，システムの線路間隔を気にしないで道床付線路が使えることになります。

このプランでは車止め部分だけを着脱式に作ってあり，この先に道床

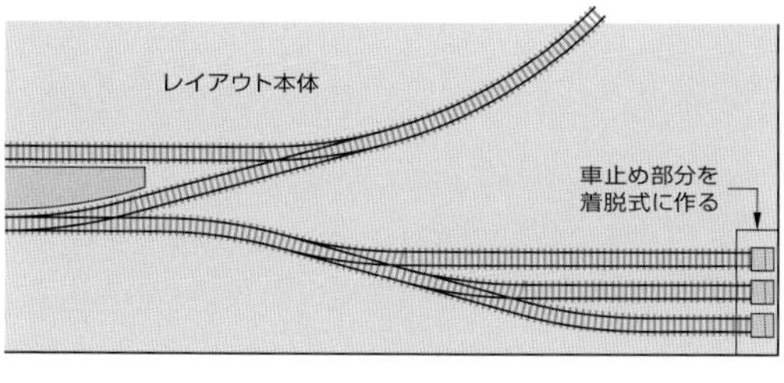

レイアウト本体

車止め部分を着脱式に作る

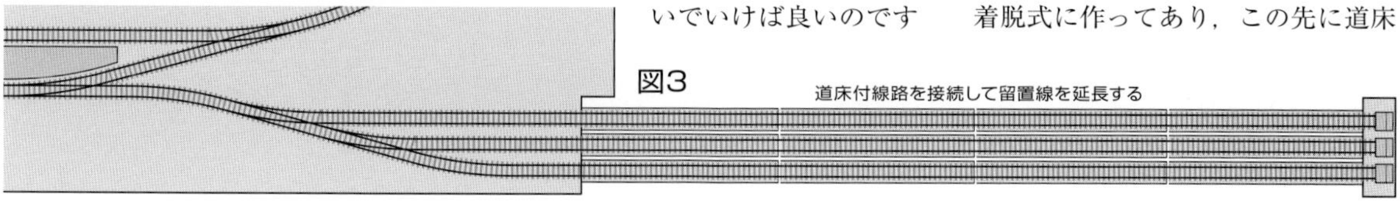

図3　道床付線路を接続して留置線を延長する

11

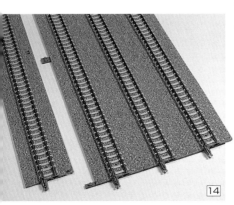

12

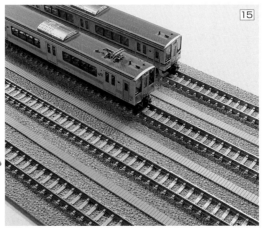

13

付線路を延ばすと，通常は貨物側線などに使用していた短い線路が留置線に変身。その先端部にははずしておいた車止め部分を接続すると，小面積ながらシーナリィが付いた情景を楽しめることになります。

また，このようにレイアウトから延ばす方式だけでなく，最初からある程度の長さの留置線を作っておき，必要に応じて道床付線路をつなぐような発想もあるはず。写真11に示したのはその作例ですが，いずれの場合も実際には台枠上に作ったレイア

ウトの線路と高さを揃える必要があります。道床付線路を高架橋で支えるようなこともできそうですが，簡単なのは写真12のような角材で作った脚を使用すること。上面に線路間隔を保持するための帯板を付けているのはご覧のとおりです。

また，レイアウト本体との接続側には写真13のように最初から短い道床付線路を取付けておくと接続作業もずっと楽になってきます。作例

のものはシーナリィが付いたほうにPECOのフレキシブル線路を敷設しており，同じPECOのジョイナーを使ってユニトラックと接続。接続部分の一段低い台枠は少し長めにしてありますが，これは言うまでもなくつなぎ目の強度向上と作業のしやすさを考えたものです。

■ワイドレールを使った留置線

　トミックスの線路システムの中には「ワイドレール」と呼ばれる，道床が広い線路があります。これは複線区間の線路間に隙間を生じさせないことが目的の製品のようですが，直線を何本も並べていくと写真14のように留置線の構内のようなイメージ。専用のジョイントパーツが付属しており，隣り合う道床部分を次々とつないで一体化することができます。このまま薄い合板の上に止めておくと，扱いやすい留置線になるのではないでしょうか。

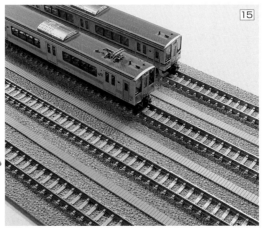

15

　写真15はさらに留置線らしく…と，線路間に構内通路を追加してみた様子です。これは1.5mmピッチの0.5mm厚スジ目板から5mm幅に切り出したもので，明るいグレイに塗装して両面粘着テープで道床上に固定。これで線路間の隙間を隠すこともできました。

　この「ワイドレール」

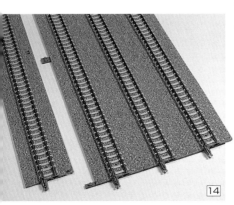

14

のシステムの中には「ポイント分岐用」と称する線路もあり，こちらは**写真16**のように片側の道床が別体となった構成。この道床を使わないと通常の線路と同じ形態となり，留置線の両端の線路の場合はここに架線柱を設置できることになります。**写真17**の向こう側はこのために取付座の一部をカットした様子，**写真18**は線路に設置した様子を示したもので，切り詰めた別体の道床を添えたりするとこのあたりの印象もけっこうかわってきます。

架線柱の設置にはこのほかの方法もいろいろ考えられ，**写真19，20**には4線を並べた留置線を4線用の架線柱が跨ぐ組立を示しました。前者はトミックスの「マルチ複線トラス架線柱」，後者はKATOの「4線式ワイド架線柱」ですが，どちらも支柱間隔は149mm。「ワイドレール」を4本並

べた時の外幅は148mmなので，**写真21**のように道床を少し欠き取ってセットしてみました。

■車止めの小加工

留置線の終端部に設置する車止めは製品をそのまま使う場合がほとんどと思われますが，塗装したり少し手を加えるだけでも印象がいくらかかわってくるようです。

写真22に示したのは電車用の留置線には欠かせない架線柱の設置例で，ファイントラックの「終端架線柱」をユニトラックの「車止め線路A」に取付けてみました。架線柱を立てるための座の幅に合わせて，車止めの後方を**写真23**の右の

ように切り込み，接触部分に粗めのサンドペーパーをかけてから接着するだけでできてしまいます。**写真24**は別項のほうで紹介するKATOの「4線式ワイド架線柱」に付属した本線途中用のものを使っており，こちらは支柱に合わせてあけた孔に差し込んで接着。道床下側まで突き出した分をカットすると，いくらかフラフラした感じなので，周囲に多めのエポキシ系接着剤を盛って取付強度を向上させておきました

最後に掲げた**写真25**は車止めの実例で，この留置線ではすぐ手前には大きく線番を表示した板が設置されています。これなら遠くからも線番が確認しやすいことになり，そのまま模型化すれば運転の際にも役に立ちそう。ポイント転換用のスイッチにも同じ番号を記しておくことで，線路数が多い留置線でも列車を入線させる線路を間違えることがなくなるのではないでしょうか。

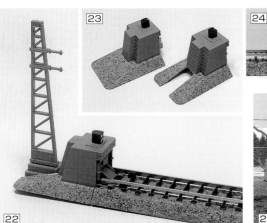

電車用留置線の設備とその工作例

←検修設備のあるエリアから少し離れて本線の横に展開する，何本もの列車が入線した大規模な留置線。　（京浜急行電鉄金沢検車区）

↑駅の横に9本もの線路が並ぶ大容量の留置線。海老名側の引上線から入線する行き止まり構成の車輌基地である(相模鉄道相模大塚駅)

検修基地や運転基地などに併設される例も多い留置線ですが、運転閑散時間帯に列車が入線するだけの小規模なものも少なくありません。この留置線はレイアウトの場合と同様に本線走行からはずれた編成の収容場所となるところで、基本的には何本かの線路が並ぶだけの構内。その線路の周辺で見かけるのは最低限の簡単な設備類だけになります。

この項のテーマにしたのはそんな留置線の模型化で、実例を交えながら、アクセサリー類の工作やその配置についてまとめてみることにしました。作例は工作のしやすさからセクションふうにまとめ、完成後にレイアウト側に組込むという工作方法を採りましたが、レイアウト本体とは別体に作り、運転する時のみ駅の横などに接続…といった分割構造を考える人がいるかも知れません。

最初にご覧に入れる作例は行き止

まり式の構内で、4線の留置線に並んで入出区線、あるいは引上線といった感じの1線を加えた構成。工作の対象になる設備は終端部に集まっていることになります

乗 降 台

乗務員が乗車や降車をするためのステップがこの乗降台で，小さなものながら電車用留置線のシンボルとも言って良さそうな存在です。かつては古枕木製のものも見かけましたが，近年の乗降台はほとんどが鉄板張りの踏座を型鋼の脚が支える構造。鋼板製の階段は片側，または両側に付いた例があり，転落防止用に手スリを持つものもあります。

最初にいくつかの実例を掲げました。写真1〜3はいちばん簡単なタイプで，階段の段数や脚の本数などに差が見られます。写真4は共に手スリを持つタイプですが，脚の数や手スリの形態から奥のものは後年に

延長されたと思われ，向こう側に付いた階段はその時に追加されたのでしょう。写真5も同タイプですが，階段や格子状になった踏座面に差があり，写真6のものは階段部分だけに手スリを設置。写真7はかなり背が低く，両端がスロープとなったタイプで，乗降にはこの上から車輌側のステップへと渡ることになりますが，背が低いことで台車まわりの点検に向いており，車輌基地の構内留置線で見かけることがあります。

これらの乗降台，模型化はそれほど難しくないと思われ，自作しても必要数をすぐに揃えられるのではないでしょうか。いくらか形態の異なる実例もあるので，余剰キットのパーツなどに有効利用できるものが

見つかるかも知れません。

市販品としてはグリーンマックスの「乗降台」があり，これは4基分をワンセットにしたキット。写真8の左がそのまま組立てた状態ですが，階段を片側だけにしたり，手スリを取付けない姿にすることもできます。踏座部分は長さ35mm×幅8mm（手スリがない場合は7mm）×高さ14mmといくらか大型。右のものはもう少し小さ

↑乗降台が並ぶ留置線の終端部分。挟んだ2線に対応するものには手スリが取付けられていないことがわかる（相模鉄道相模大塚駅）

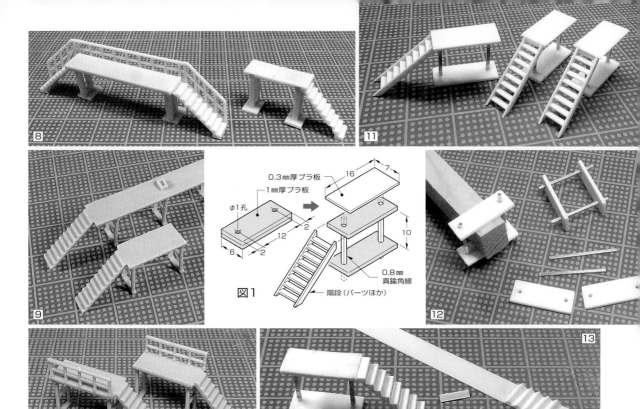

く…と踏座部分を長さ20mm程度に短縮してあり，こちらは転落防止用の手スリのないタイプにしてみました。実物の手スリは当然ながら挟む2線に対応するものには取付けられてなく，1線用のものにも手スリを持たないタイプを見かけます。

　写真9の手前は同じグリーンマックスの「洗浄台」のキットから作った乗降台。階段と一体成形されている作業台を適当な位置でカットし，その両端下側に脚を付けるだけの工作です。完成サイズは幅7mm×高さ13mmで，作例のものは長さが17mm。この洗浄台には作業台面に付く手スリも付属しており，それを取付けてみると写真10のような姿になります。

　一方，写真11に示した乗降台は自作したもので長さ16mm×幅7mmという大きさ。高さはフレキシブル線路に対応するように12mm程度にしてみました。この組立内容を示したのが図1で，乗降台本体は1mm厚プラ板と脚となる0.8mm真鍮角線を口字形に組合わせる構成。踏座部分とベース板の孔あけや周囲のカットは，2枚を重ねて行なうと良く，少し離れたところを接着しておいて，孔あけ後にカットすると孔の位置や外側寸法が揃うことになります。

　このφ1孔には0.8mm真鍮角線がちょうど良い固さではめ込まれるため，写真12のように10mm角棒を挟んで全体を四角にまとめ，そっと抜き出して瞬間接着剤を流します。

　完全に固着したら上下に突き出した真鍮角線をニッパーでカットし，平ヤスリで平らに修整。踏座部分の上面に0.3mm厚程度の薄いプラ板を

貼り重ねて真鍮角線を隠します。最後に取付けるのは階段部分で，作例ではプラストラクトの素材を使用しましたが，余剰となっているストラクチャーキットから切り出したものも使えるはず。**写真13**に示した乗降台のように1.5mmのプラ製L形材をい

くつも並べる工作法もお勧めです。
　以上のようにキットを使った乗降台，そして自作した乗降台は幅が7

図2

留置編成

乗降台

～8mm程度です。2線用に使う場合は線路間隔の関係から踏座の幅が不足することもありますが，その時には都合の良い幅に切り出した薄いプラ板を上面に貼り加えるのが簡単。ただ，線路間隔が広めの場合は2基を並べて設置するほうが自然に見えるのは言うまでもありません。このほか，使用する線路によっては脚の下側を先に切り詰めておくか，逆にプラ板などを加えて高さを調整することが必要になってくるでしょう。
　塗色はお好み次第ですが，実例を眺めると構内で目立たせるためでしょうか，明るいグレイ，白緑色，ク

14

リーム色などのものが多く，踏座部分や階段部分の端に黄色の警戒ラインが入れられたものもあります。

設置場所は当然ながら入線した電車の乗務員ドアーに面したところとなり，**図2**のように編成前後の乗務員室用に2基を設けた配置例，異なる編成長に対応させるために**写真14**のように少し離してもう1基の乗降台を設置している例も少なくありません。また，特急型電車と通勤型電車のように，先端から乗務員ドアーまでの距離に差がある先頭車もあり，さまざまな車種を運転したいというレイアウトでは，乗降台を長いものにしたい場合もあるはず。このほか，実物を眺めていると，一方の線路がカーブ区間にかかっているために，2基の乗降台がハの字形に設置されている例，いくらかずれた形に設置されている例も見かけます。

構内通路

この乗降台には乗務員用構内通路が結ばれていることが多く，**写真15〜17**に示したのはその典型的な接続。大きな留置線ではこの通路の先を構内の主要通路に結んでいる場合がほとんどですが，踏切部分だけに通路らしきものが見られるような留置線も少なくありません。また，大きな留置線では構内に乗務員詰所が設置されていることも多いのですが，編成の留置だけを行なうような駅ではホームに接続。良く見かけるのは**図3のA**や**写真18，19**に示したような，ほかの通路と共にホームの端にある階段に結ばれた例です。この場合には本線を横断するところに手動遮断機が設置されていることもあり，**写真20**に示したのがその一例。ご覧のように短時間の工作で模型化できそうな極く簡単なものですが，これがある

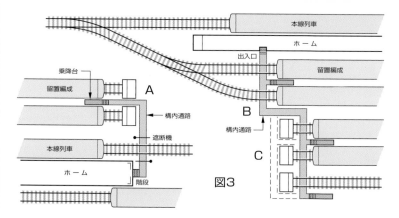

ことでこの線路が留置線ではなく本線であることを強調してくれます。

この通路の配置は構内スペースや駅との位置関係で決まるようで、実例はさまざま。前述のようにホームの端に結ばれたもののほか、列車密度がそれほど高くない路線の駅では、Bのようにホームの途中へと結ばれているものも見かけます。

この通路配置の一例を**写真21**に、ホーム側から眺めた小さな出入口の様子を**写真22**に示しました。**写真23**も同様にホームから留置線へと降りる通路の例ですが、ここでは本格的な階段を設置。スペース面の余裕から前述した接続例のようなホーム側の切り欠きはありません。構内に詰所がない小さな駅の場合は、到着した列車、あるいは発車する列車の乗務員が近くの主要駅との間を電車移動しているものと思われます。

また、この通路が少し離れたホームへと延びている場合もあり、**写真24**に示したのは跨線橋の下を通している例。ルートの変更でもあったのでしょうか、この通路では不要となったこちら側の渡り板が撤去されていることがわかります。

終端行き止まり部分にある通路は基本的にCや**写真25**のように接続。列車の停止位置と車止めの間にあまり余裕がない場合は、点線で描いたように通路が車止めの外側を通っていることもあります。

通路にはコンクリートパネルを並べた例も見かけますが、作例では板張りのイメージで1.5mmピッチの0.5mm厚スジ目板から8mm幅、及び6mm幅に切り出したものを使用。高さ4mmのPECOのフレキシブル線路に合わせ、スパイクや枕木を避けて**図4**のように重ねた1mm厚プラ板と2mmプラ角棒の上に貼ると、通路面がレール面から0.5mm低い位置となります。

ここでは説明を省略しますが、道床付線路との組合わせでは当然ながら高さがかわることになり、都合の良い厚さの材料を選ぶなどの調整が必要。フレキシブル線路との組合わせでも、ベニヤ合板などの路盤上に敷設する場合には、現物合わせ的な高さ調整をすることになってきます。

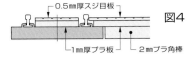

図4

レール製タイプをフレキシブル線路と組合わせてみました。

使用したのはKATOユニトラックの車止め線路のもので，トミックス ファイントラックのものと同様に黒色のプラで成形されており，できれば取付前に艶消クリアーをひと吹きしておくことがお勧め。落ち着いた感じになり，この後のウェザリングもしやすくなってきます。

車止めの先に立つ架線柱にもさまざまな実例がありますが，大きく分類すると柱が鉄骨製，コンクリート製のものということになり，近年は鋼管製のものも見かけるようになりました。線路の終端部には斜めに柱が加わったものも多いのですが，中には本線途中の架線柱とあまりかわ

車止めと架線柱ほか

終端部の車止めにはさまざまなものがあり，比較的見かけることが多いと思われるものを**写真26～31**に示しました。この中でもコンクリート製タイプの模型化はそれほど難しくなさそうで，量産向きとも言えますが，作例では手元にあった道床付線路のものを活用。抜き取った古

←↑留置線の終端部に立つ架線柱の実例。支柱はさまざまだが，いずれも張力調整装置はバネ式のものである

らないような形態のもの，横を通る本線のものと一体化されているようなものも少なくありません。

この終端部用の架線柱，専用品が製品化されていますが，作例では実例を写真32，33に掲げたような，張

力調整装置のプーリーやウェイトが目立つ重錘式と呼ばれるタイプを作ってみました。近年に多いバネ式のものより，終端部の架線柱らしくなったのでは…と考えています。

工作のベースにしたのはトミックスの「複線架線柱・鉄骨型」で，支柱部分の形態がプロトタイプと似ており，付属の張力調整装置がシャープにできていることも魅力。ただ，製品には接着に不向きなプラ材料が使われているので，瞬間接着剤による組立ができるような喰い付き強度の

向上がポイントになってきます。

　写真34，35はその工作内容と組立状態を示したものです。最初に支柱からビーム部分を切り離し，続いて上部をカット。切断個所には目の細かい平ヤスリをかけて形態を整えておきますが，同時に張力調整装置を取付けるところにもヤスリがけして表面を粗しておきます。

　一方，張力調整装置のほうは角柱状のツノ部分を残してランナーから切り離し，そこをプラ板にあけた孔に差し込むことで接着面積を拡大。

実測してみると7.5mmピッチであけたφ1.5孔にうまくはまることがわかりました。使用したプラ板は0.5mm厚程度のもので，先に孔をあけてから周囲を切り詰めるほうが工作しやすく，こちらも先に軽くヤスリがけをして表面を粗しておきます。

　このプラ板に張力調整装置のツノ部分をはめ込んで瞬間接着剤を流し，固着後に裏面に突き出た分をカット。ここで支柱に張力調整装置を接着し，下側にも同じ厚さのプラ板の小片を挟んで瞬間接着剤を流せば工作は完了となります。

　塗装にはスッキリとした仕上がりの面からスプレー塗料を使

用するのが良く，作例ではノーマルに艶消ライトグレイを選択。プーリーのブラケット部分を除く張力調整装置をダークグレイに，ウェイトをコンクリートらしい白っぽいグレイに筆塗りすると見映えも向上します。設置の際には当然ながら線路の中心に，そして傾かないように立てることに注意をしますが，これについては特に述べることもないでしょう。

　入線留置する最先端のところには「停止目標」とか「停止位置」の文字が入った標識が，そしてその少し手前に「一旦停止」の文字が入った標識が設置され，共に構内で目立つ白色塗装のものが多数派となっています。

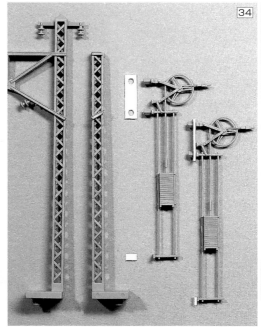

34

35

停止位置標識は**写真36**のように乗降台の横で姿を見かけることが多く，運転台から見やすい角度で枕木上に取付。鉄板製の三角形のものの

ほか，近年は電照式のものも見かけるようになりました。模型では1辺が1mmほどのプラ三角棒を短くカットした程度のものになりますが，四角いプラ角棒の一辺を軽く斜めに削っただけでもそれらしく見えるはず。また，この標識の横には，編成長に応じた停止位置を示す「6」や「8」といった数字を記した表示板が取付けられていることもあります。

一旦停止標識も同様に小さなものが枕木上に取付けられた例を見かけますが，レイアウトで目立つと思われるのは，**写真37**のような細い柱の上に表示されたタイプ。停止位置が揃った留置線では線路間のものが2線用を兼ねる場合もあるようです。

こちらの標識は真鍮線の上に小さくカットしたプラ板を接着するだけでできてしまいますが，板をできる

36

37

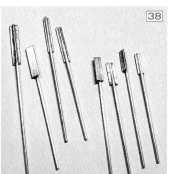

38

39

40

41

42

だけ薄く見せたいこと，そしてバラストにあけた孔に差し込む時の強度のことを考え，作例では**写真38**のように2mm幅，及び1.5mm幅の真鍮帯板とφ0.5程度の真鍮線をハンダ付け組立。白くスプレー塗装した後に市販のステッカーの中から見つけた文字を**写真39**のように貼りました。

ただ，実際には真鍮板や真鍮線は少し長めの材料をハンダ付けし，板のほうは文字の大きさに合わせて，線のほうは地面への取付前にカットして長さを調整。板に貼る文字で手頃な大きさのものは手持ちのステッカーにわずかしか含まれてなく，作

43

例のセクションには「一時停止」と記されていたものを使用しています。スケールに近いサイズの文字をいくつも欲しい…という場合には，市販ステッカーを探しまわるよりパソコンを使って作成し，シールにプリントアウトしたものを使うほうが現実的。同時に停止位置の表示文字の作成をすることも考えられ，ほとんど読めない大きさでもそれらしい雰囲気のものにはなりそうです。

さらに手を加えてより留置線らしさを…という人には，本線との間に並ぶ安全柵の設置がお勧めです。この途中で姿を見ることも多い前述の手動遮断機と共に，短時間の工作テーマとしてもちょうど良さそう。**写真40〜42**に示した実例のようにいろいろな形態のものがありますが，ほとんどは黄色に塗られていて構内でも目立つ存在となっています。

写真43に示した作例は特に簡単な鉄パイプをコの字形に曲げたもので，模型ではφ0.5真鍮線を使用。実物にはかなり短いものもあるようですが，工作の手間を考えて長さが9

mm程度の柵にしてみました。片側をテープで止めておけば，ラジオペンチやヤットコを使って数本をいっぺんに曲げることができ，工作精度を気にするようなものでもないので，テレビでも見ながら…といった作業に向いていると言えそうです。

塗装はメタルプライマー→白色→黄色といった順序になりますが，スプレー塗料を使えばこちらも簡単です。逆に手間がかかると思われるのが地面への取付で，9mmピッチで1つずつ孔あけ…といった作業はもちろん現実的ではありません。

いろいろ考えた結果，作例では錐を使ってあけた大きめの孔を埋めるように，木工用ボンドで練ったバラスト材料を入れ，ある程度固まってきた時点に柵の脚を差し込む…といった方法を採ってみました。根元のあたりが今ひとつの仕上がりと思えるところには，雑草を撒いてカムフラージュすることもできますが，各柵の高さができるだけ揃うように，そして傾かないように設置したいのは言うまでもありません。

45

留置線用の架線柱

製品について

　ここでは市販製品を使用する留置線の架線柱についてまとめておくことにします。1線や2線の留置線の場合はもちろん単線用や複線用のものをそのまま使用できることになりますが，線路数が増えてくると支柱間に3線，あるいは4線が入るものが欲しくなってきます。

　写真1はKATOの「4線式ワイド架線柱」で，張力調整装置取付用の2本を含む10本がワンセット。線路間隔が33mmのユニトラックに対応するもので，複々線区間への使用を前提とした4線用となっています。支柱がコンクリート製のノーマルなタイプで，支柱の中心間隔は149mm。ビームまで含めて一体成形された製品です。

　一方，写真2はトミックスの「マルチ複線トラス架線柱」で，こちらファイントラックの線路間隔37mmに

対応し，最大12本になるパーツがワンセット。支柱はコンクリート製と鉄骨製の2種が含まれています。この製品の特徴と言えるのは，写真3に示したようにビームが接続式であることで，そのつなぎかた次第で支柱間隔の変更が可能。トミックスでは3線用や4線用の架線柱も製品化していますが，それ以外の支柱間隔も得られることになります。

　写真4に示したのはいくつかの接続例，及びそれぞれの支柱間隔実測寸法と使用ビームで，いちばん上のものが3線用，いちばん下のものが2線用。3線用にさらにaを加えた支柱間隔が149mmのものは4線用になります。写真5に示したのはこの4線用の様子で，手前が「マルチ複線トラス架線柱」を組合わせたもの，奥が「4線式ワイド架線柱」。両者は取付部分だけでなく，組合わせる線

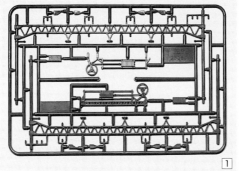

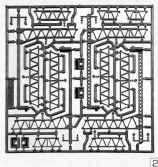

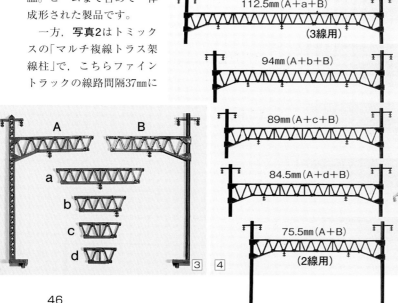

路に関連してビーム下端までの高さもいくらか異なっています。

以上のようにKATOとトミックスの架線柱はメーカーの線路システムに沿ったものですが,実物を観察すると線路間隔が本線よりずっと狭くなった留置線の例も多く,特にフレキシブル線路を敷設するようなレイアウトではその差を表現したくなってきます。ただ,どちらの製品も接着剤が効きにくいプラスティックで成形されており,ビームの途中でカットしてつなぐといった工作はできないと考えたほうが良いでしょう。

前述のように「マルチ複線トラス架線柱」のほうは37mm以外の線路間隔にも対応させやすいのですが,同じ支柱間距離のものをいくつも揃えようとすると,使うビームの種類が限られる場合もあるはず。どのような組合わせが無駄が少ないかなど,購入前の検討も必要です。また,何本もつなぐことでビームにねじれが累積することもあり,このあたりは一体成形品と異なるところ。結果的に2本の支柱が平行になりにくく,レイアウト上に立てる時にいくらか手間がかかることもあります。

架線柱の形態

このように架線柱は留置線の本数に都合の良いものを選ぶことになりますが,規模の大きな留置線では使用数も多いだけに,できるだけ製品をそのまま生かせる設置を考えたいものです。留置線の本数や線路間隔

からどれを使うか迷う場合もありますが,実物を観察していると設置のしかたはさまざま。例えば2線の留置線を3線用のようなビームスパンの長いものが跨いでいるといった例もあり,これは実物でも線路間隔に関連しているのでしょう。

どの製品をどこに設置するかはいろいろ検討していただくことにしますが,設置場所によってはこのほかの使いかたもありそうで,図1にその例を示しました。使用を想定しているのは一体成形品の4線用架線柱で,AとBは駅と留置線の架線柱が連続した形態のもの。架線柱自体は高圧線支持部分やトロリー線吊り碍子の一部を切り取る程度の加工となります。Cは電車基地などの留置線を想定したもので,ビームの片側を検修庫へと渡したもの。こちらもビームをカットするだけの加工となり,検修庫の側壁を通る梁で支えるようにすれば,ビームを差し込むための穴を1つずつあけるような手間がなくなります。

やはり実物を観察しているとわかるのが,架線柱のビームは4線を跨ぐ程度のものがいちばん多いことです。留置線の本数がもっと多い場合には途中に支柱を挟むこともあり,また,同じ4線でも2線+2線とか3線

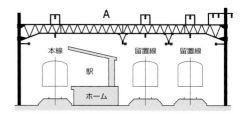
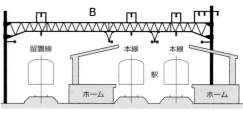
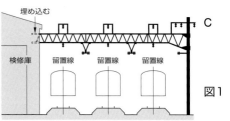

図1

+1線といったものが混じった例があり,このような架線柱がレイアウトの留置線に変化をつけてくれるのは言うまでもありません。

ただ,前述したように製品は接着剤が効きにくい素材で成形されているのが弱点。細かい工作は避けたほうが無難ですが,いくつかの製品をテスト加工してみた結果,接触面積をできるだけ広くしたり,組合わせかたの工夫,接着部分にヤスリがけして表面を粗したりすると,何とかなりそうな工作も見つかりました。無理にひねったりするとポロッとい

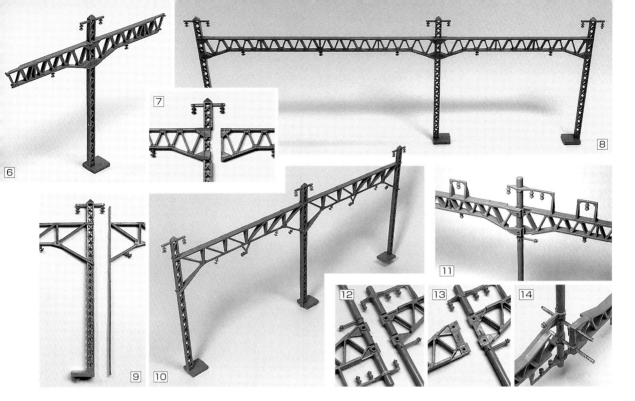

きそうな不安もありますが，レイアウトに設置してしまえば手を触れることがないもの。ここではその工作例をご覧に入れておきます。

写真6はトミックスの「マルチ複線トラス架線柱」の支柱部分を接合したもので，**写真7**のように一部を削って相手のビームが入り込むような組合わせ。**写真8**はこれを使って作った3線＋2線の架線柱です。

写真9はトミックスの「複線架線柱・鉄骨型」の支柱のレーシング部分を切り取り，**写真10**のように相手の柱の横に接着したもの。この支柱だけほかより太くなりますが，気になるほどではないと思われます。

写真11はKATOの「4線式ワイド架線柱」をつないで8線用にしたもの。

製品は**写真12**のように片側のガセットがはめ込み式になっており，この間の支柱部分も含めて**写真13**のように削っておきます。続いてφ1ドリル刃をくわえたピンバイスを使って真鍮線を通す4ヵ所の凹みを貫通。**写真14**のように組立てて接着後に真鍮線をカットします。

終端部の架線柱

行き止まり式留置線の終端部に立つ架線柱はトミックスが**写真15，16**に示した「終端架線柱」を製品化しており，これはバネ式張力調整装置を持つシンプルなタイプ。一方，重錘式張力調整装置を持つタイプについては別項に工作例を紹介しましたが，ここでは付属パーツを差し込んでビ

ーム部分をカットするだけ…といった簡単な加工でできるものを3種ほどご覧に入れておきます。

写真17，18のコンクリート柱タイプ，及び**写真19，20**の鉄骨柱タイプは共にKATOの「4線式ワイド架線柱」に付属した本線途中用のものを転用しています。前者は支柱のうちの一方に張力調整装置を差し込む穴があり，後者は中央の支柱と装置が一体に成形されたもの。このため，ワンセットで2形態計4本の終端架線柱の入手ができることになります。また，**写真21，22**のKATOの「複線ワイドラーメン架線柱」には6本の架線柱に対して4つの装置が付属しており，鉄骨製支柱のレーシング部分に差し込む構成。こちらもワンセッ

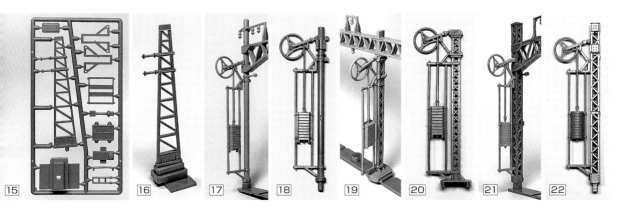

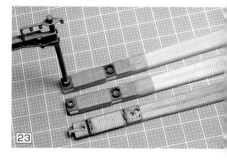

トで計4本の終端架線柱を入手できることになります。

なお，終端部分に立つ架線柱は張力調整装置を持つものがほとんどのようですが，中にはその姿が見られないものもあります。この場合は入口側に装置が設けられているはずですが，終端側のように位置が揃っているとは限らず，本線途中のものとの差がほとんどわかりません。

架線柱の塗装

レイアウトへの設置前にぜひ行なっておきたいのがスプレー塗料を使った塗装で，もちろん先にメタルプライマーを吹付けておくことが必要。ビームや鉄骨型の支柱はやはりグレイ系が多数派のようで，新設されたばかりのような半艶程度にするか，経年と共に艶が失われた姿にするかは運転する列車とも関連しそうです。さて，この作業の際には割り箸などの先に塗装物を付けておくことになりますが，架線柱の場合はどこを保持したら良いのでしょうか。いちばん簡単なのは，レイアウトの製作を続けているといくつも余っているはずの取付座を利用すること。**写真23**のようにテープで止めたものを何本か用意しておき，先に塗ったも

のが乾燥したら次に塗る架線柱と差しかえれば良いのです。

コンクリート製の支柱にはエナメル系の明るいグレイを，碍子類に艶消の白を塗れば**写真24**のように塗装は完了。張力調整装置はウェイトを明るいグレイに，吊りワイヤーを艶消の黒を塗ってあります。

さらに支柱の下のほうには黄色と黒のゼブラ模様を入れてあり，これは**写真25**でご覧のように効果的なアクセントと言えるでしょう。市販のステッカーも利用できそうですが，作例ではパソコンを使ってデータを製作し，艶消白色の0.05mm厚ポリエステルフィルムシールに**写真26**の

ようにプリント。8mm幅に切り出したものを支柱に巻き付けました。ただ，このフィルムはラベル用のためか，細く丸めるには粘着力が不足気味の印象。巻き付けたところで，インクが溶けないと思われる木工用ボンドを塗って補強をしておきました。

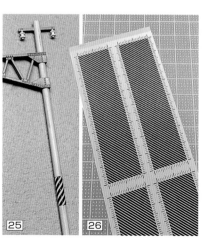

留置線の色合いとその表情

　ここに掲げた何枚かの写真は，製作の参考にしていただきたい実物の留置線の表情。バラストの撒かれかたや色合い，そして汚れかたはさまざまで，留置線と聞いてイメージするものといくらか異なっているかも知れません。雑草の生えかたの違いはやはり線路メンテナンスの頻度によるものと思われますが，留置線がある駅でしっかり観察すると，本線との表情の差に気づくこともあります。このあたりは走行中の電車から前方を眺めているだけでも良くわかり，レイアウトが次はいよいよ線路の塗装段階…となったら，改めて実物観察をしてはどうでしょうか。

工作例「4線／長さ910㎜の留置線」

ここでご覧に入れるのは4線で長さが910mmという，使用面，そして工作面や収納面でも現実的な大きさに思える留置線の作例です。図1に示したように小型レイアウトに接続して使う，分割式の一部分とも言えるものですが，通常は棚の上などに置いて車輌展示台にすることを想定。全体が平坦な地形で，線路の周辺には建物類を設けない，そして奥行もできるだけ抑えめに…と，コンパクトサイズのものを目指しました。

上に掲げた実例は東急電鉄奥沢駅に隣接する5線の留置線で，今回の製作に当たってはこのように近代的な雰囲気を重視。新しい電車ならどのような編成にも似合いそうなノーマルなものを狙ってみました。作りたい留置線の規模や構成は人によってさまざまで，使用線路によっても内容がいくらか異なってくるのですが，ここでは作例を元に，工作の参考にしていただけそうなことについてまとめておきたいと思います。

全 体 の 構 成

作例で使ったフレキシブル線路とポイントはPECO製品で，前者にはコンクリート枕木のものを選択。近年は留置線でもコンクリート枕木を見かける機会があり，新しい電車が入線するところにはこのほうが…と考えました。同時に奥沢駅の例のように狭い線路間隔を表現したく，フレキシブル線路用のポイントはその点でも使いやすいと言えます。

使用した4個のポイントはいずれも中型で，図2のように接続しています。※印で示した線路は隣り合うポイントのスローロッド部分が当たらないように挟んだもので，さらに枕木を切り詰めたりする必要がありますが，このあたりはもちろん現物合わせ的に対応。このようにつなぐと線路間隔は27mmになります。

1番線と4番線の間が81mmに決まったこの段階に検討したのは架線柱のことです。狭い線間に支柱を立てないワンスパンのビームを前提に，

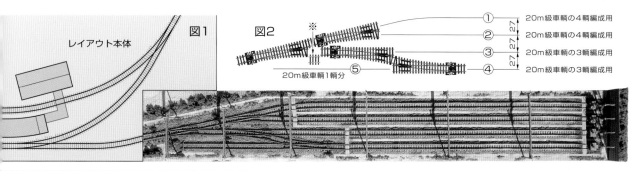

図1　レイアウト本体

図2
※
① 20m級車輌の4編成用
② 20m級車輌の4編成用　27/27
③ 20m級車輌の3編成用　27/27
④ 20m級車輌の3編成用
⑤ 20m級車輌1輌分

トミックスの「マルチ複線トラス架線柱」のパーツをいろいろ組合わせてみると、架線柱の項で述べたパーツ記号のA＋a＋d＋Bががちょうど良さそう。支柱間を実測してみると122mmで、1番線や4番線の外側にも20.5mmの余裕が得られます。一方、2線や3線に対応する入口近くの架線柱は現物合わせ的に支柱間距離を決めることになり、作例のものはそれぞれA＋B（支柱間距離75.5mm）、A＋b＋B（同94mm）という組合わせ。どの架線柱も線路と位置が合わなくなってしまうトロリー線吊り碍子は切り取ってしまいました。

工作計画の順序が前後することになりましたが、架線柱の見通しが立ったこの時点になって、やっとセクションのベースボードの幅を決定。

作例ではコンパクトサイズを目指して140mmにしましたが、その結果、支柱が台枠の端近くに立つことになり、もう少し余裕を持たせておくほうが良かったかも知れません。

一方、ベースボードの長さは最初に記したように910mmにしてあります。これは言うまでもなくホームセンターなどで入手しやすいカット合板のサイズから決めたものですが、こちらも最初にしっかり工作計画を立てておかなくてはならないことが後になってわかりました。前述のようにつないだポイントを台枠の端に取付け、その先の線路を真っ直ぐに延ばすと、各線の有効長は自動的に決まってきます。当初の見込みでは1〜3番線に20m級車輌の4輌編成が

収まるはずでしたが、車止めや終端架線柱を付けようとするとけっこう微妙なことが判明。とりあえずポイントの先にフレキシブル線路をつなぎ、実際に車輌を入線させて様子を見ることにしました。

わかったのは考えていた以上に余裕がないことでしたが、車止めをできるだけ台枠の終端近くまで下げると、何とか入線させることができそう。曲線部分に少しかかってしまうのですが、入口側の構内通路を通すこともできることがわかりました。ただ、これはカプラーが小さくて連結面間隔が狭い近年の製品の入線に限られ、アーノルトタイプカプラーを付けた製品の場合は留置範囲に収まってくれません。もちろん18m級

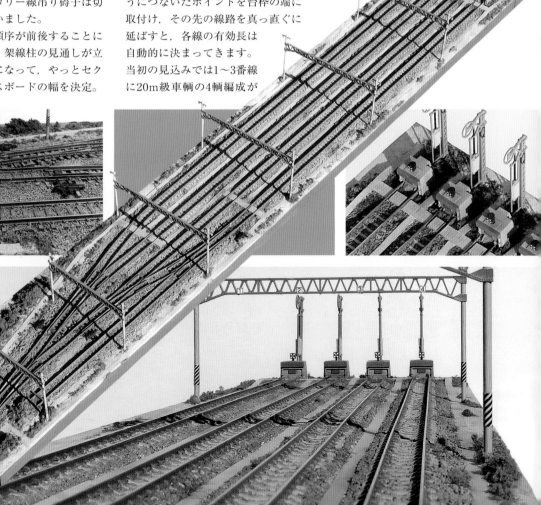

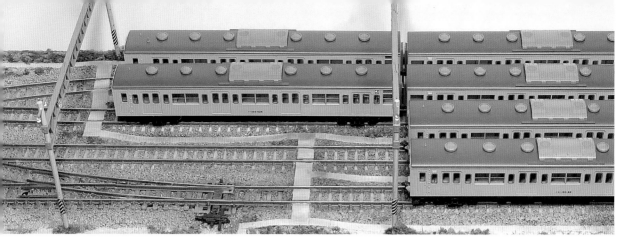

程度の車輌の4輌編成を入線させる
こともあり，こちらは入口側の線路
に余裕が生まれることになります。

　3番線は2番線に近い有効長を持つ
線路ですが，すぐ横にポイントがあ

るので無理を避け，1番線と共に3輌
編成の留置エリアに限定。構内通路
の通しかたにも余裕ができました。
このほか，4番線から折り返す形に5
番線を延ばしてあり，ここの長さは

20m級車輌のほぼ1輌分。このよう
な規模の留置線には実例も少ないと
思われますが，模型ならではの線路
構成として，クモユニやクモヤあた
りの留め置きを考えています。

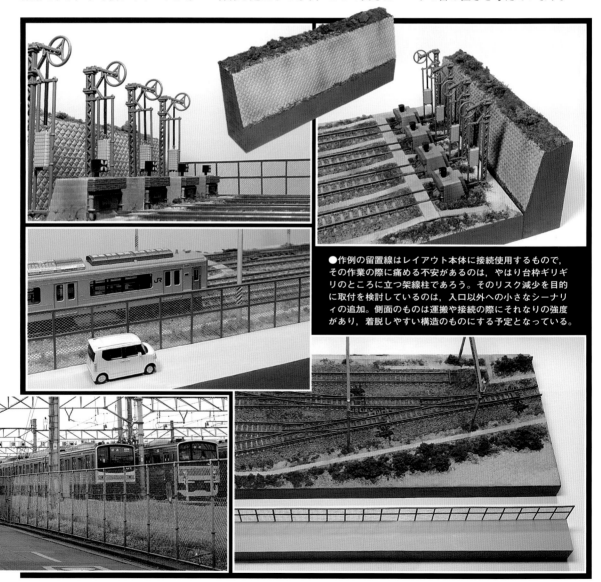

●作例の留置線はレイアウト本体に接続使用するもので，
その作業の際に痛める不安があるのは，やはり台枠ギリギ
リのところに立つ架線柱であろう。そのリスク減少を目的
に取付を検討しているのは，入口以外への小さなシーナリ
ィの追加。側面のものは運搬や接続の際にそれなりの強度
があり，着脱しやすい構造のものにする予定となっている。

工作の実際 - 1

セクションは全体が平坦な地形なので山などを作るための準備工作も一切ありません。台枠も作例のものは角棒を組立てて合板を張っただけの極く簡単なものにしてあり，この合板面にフレキシブル線路を直接敷設することにしました。

最初に線路の中心ラインとなる4本の直線をケガいたら，それに合わせてポイントをセット。つないで一体にした4個のポイントを取付け，そこから延ばすようにフレキシブル線路を敷設していきます。大切なのは言うまでもなく4本の線路を真っ直ぐ敷設することで，油断すると途中でくねったりしてしまうもの。本格固定をする前に各方向から眺めてチェックするようにしてください。

次は線路のつなぎ目，ジョイナー取付部分への枕木の追加です。**写真1**のようにフレキシブル線路から切り取った枕木を差し込みますが，先にスパイク部分，そして下面を削っておくことが必要。下面を削るのはジョイナーの板厚分だけ下げるためですが，これはレールが差し込まれている状態のほうが作業しやすく，先に必要な分を加工しておきます。

この時点に同時に済ませておくのは，**写真2，3**に示したポイントモーターの取付部分の工作。作例ではトミックス ファイントラックのポイントに付属したパーツを使うことにして，スローロッドを挟む枕木を延長。こちらもフレキシブル線路から切り取って接着するだけです。ポイントモーターの取付はもっと後になりますが，**写真4**にこの部分の完成状態を掲げておくことにします。

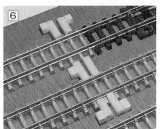

線路の敷設が済んでテスト運転を行ない，特に問題がなければいよいよ留置線ならではの工作に入ります。バラスト撒布の前に済ませておくのは構内通路の工作で，作例ではコンクリート枕木に似合うようにコンクリートパネルを並べたものにしてみました。これには1.5mmピッチの0.5mm厚スジ目板を使用。線路間のものは4mm幅に切り出し，合板面にそのまま接着することになります

線路を渡る通路は7mm幅に切り出してあり，こちらは踏切の渡り板に合わせて少し持ち上げることになります。このあたりの構成を示したのが**図3**で，スパイクや枕木を避けるように2mmプラ角棒と1mm厚プラ板を

重ねているのは別項の工作例の場合と同様。ただコンクリート枕木の中央部分は木製枕木に比べて0.3〜0.4mmほど低く，渡り板が付くところには先にペーパーを貼って高さを調整しておくことが必要でした。

写真5，6は2mmプラ角棒を取付けた様子，この上に1mm厚プラ板を重ねてからスジ目板を貼り，ここから延ばすように線路間のスジ目板を取付けた様子が**写真7，8**です。踏切の渡り板を取付けた後にはもう一度車輛を入線させ，引っかかるところがないかチェック。この後にスロープ部分の下側にはプラスターか紙粘土を詰め込んで横方向から眺めた時の形態を整えておきます。

図3

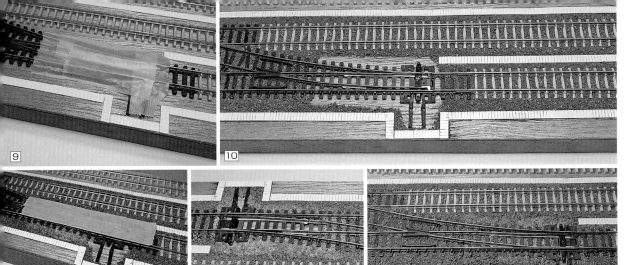

9 10 11 12 13

ここからはバラストの撒布に移りますが、その作業に当たって特に注意が必要なのは、ポイント先端レール部分への撒布と固定。バラストの固定には木工用ボンド水溶液の滴下が一般的ですが、ポイントの場合は可動部分まで浸み込んでしまい、その結果、先端レールが動かなくなることになります。これはバラストまでプラ成形されている道床付線路とは異なる、フレキシブル線路ならではの弱点。可動部分のあたりにはバラストを撒かない…という割り切りかたもありますが、できればポイント付近にもバラストは欲しく、できるだけリアルに…と考えれば不調のリスクも高まることになります。

このポイント部分へのバラスト撒布と固定については今までにもいくつかの方法が考えられてきましたが、ここで紹介したいのは今回の工作で採用した方法。手間がいくらかかかりますが、ポイントが4つ程度なら工作の根気も続くのではないでしょうか。写真にご覧に入れたのは作例とは別の留置線の工作途中ですが、記録しておいたその作業順序をまとめておくことにしました。

ポイントは可動部分から2〜3本離れた枕木の外側が、ほかの線路と同時の作業となり、通常の方法でバラストを撒布し、木工用ボンド水溶液を滴下して固定。可動部分は写真9のようにマスキングテープで覆っておくと良く、バラストが完全に固着してテープを剥がした状態が写真10ということになります。木工用ボンド水溶液をジャブジャブ流したりしない限りは問題ないはずですが、先端レールがちゃんと切り換わるか確認しておくと良いでしょう。

次はこの空いた部分へのバラストの追加で、ここから先のバラストは木工用ボンドの原液で練ったものを使用。紙コップの中などで両者を混ぜ、細いマイナスドライバーや爪楊枝の先に取って、合板面にこすり付けたり、枕木の間に押し込むようにしながら盛り付けていきます。この作業に当たっても汚したくない場所は写真11のようにマスキングテープで覆っておくことにします。

ただ、この作業で大切なのは一気に必要な高さまでバラストを盛ろうとしないことです。1回目は地肌を作るつもりで低くしておき、それが完全に固着してから、盛り足すように2回目の作業を行ないます。手間がかかることになりますが、1回目のバラストによって2回目のバラストの喰い付きはずっと良くなり、上部の形が整えやすくなるだけでなく、枕木の上面を汚してしまう過剰な盛り付けも起きにくくなってきます。

写真12は先行作業とした左右外側のバラストの盛り付けが済んだ様子です。先端レールの下側となるバラストの盛り付けも基本的にはかわらない作業ですが、こちらは狭いところなのでよりていねいに取り組むことが必要。小さな粒状のものを落とし込むように入れ、固着しかけた段階に爪楊枝で突いて拡げる…といった作業をすることになります。

また、先端レールの動きを妨げないためには、バラストが枕木上面より出っ張らないようにする必要があり、いくらか低めかな…と思う程度

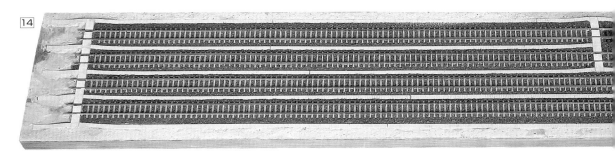

14

が無難かも知れません。**写真13**に示した完成状態のものには，バラストが隅のほうまで完全に行き渡っていない個所もありますが，気になるほどでもありません。いずれにせよ，このあたりはポイントの転換に影響する特にデリケートなところ。無理をしないで慎重な工作をすることを強調しておきたいと思います。

工作の実際-2

次は線路以外の地表となるところへのプラスターの塗布ですが，この工作内容については特に述べることもないでしょう。**写真14**に示したのはここまでの工作が済んだ段階で，この次に済ませておくのは架線柱を設置するための準備です。工作途中の破損が心配なので実際の設置はいちばん最後に行ないますが，この段階に取付方法を考えたり，取付孔をあけておくことにしました。

作例では前述のようにトミックスの「マルチ複線トラス架線柱」のコンクリート支柱タイプを使っており，支柱の太さはφ2，4線を跨ぐようにつないだものの支柱間隔は122mm。この4線用は終端部や入口側に立つ架線柱との位置関係から，140mmピッチで設置することにしました。

製品はビームの高さにいくらか余裕を持たせた設計になっており，作例のようなフレキシブル線路との組合わせでは，もう少し低くした設置

ができそうです。実際にパンタグラフを上昇させた車輌を入線させ，架線柱を当ててみると，支柱裾部の取付用ブラケットをカットしても支柱が台枠面まで届くことがわかりました。差し込まれる長さがわずかなので架線柱を垂直に立てにくいようにも思えますが，とりあえず所定の位置にφ2孔をあけておきました。

終端架線柱は別項でも紹介しているKATOの「4線式ワイド架線柱」に付属した，張力調整装置付の中央支柱をそのまま使用することにしました。この支柱には大きな取付座が付いていますが，これはプラスターで覆えば何とか隠すことができそう。前後の下側に出っ張ったところのみカットし，下面に粗めのヤスリをかけて平らにしておきますが，こちらの設置も最終段階に行ないます。

一方，この時点に取付けても問題ないと思えたのが車止めです。作例ではKATOユニトラックの「車止め線路A」から抜き取ったコンクリート製タイプを使用。設置場所に当てて支障があるところをカットし，コンクリート部分を明るいグレイに，古枕木部分を薄茶色に塗ってから接着取付しました。5番線はバラストを盛っただけの簡単な車止めにしてあり，実際にはバラストを撒いた時

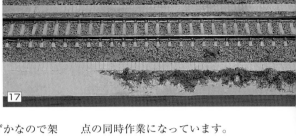

点の同時作業になっています。

塗装の対象はバラストと地表，構内通路，レールの側面といったものになります。バラストの色合いについては参考にしていただきたい実例を前項に掲げましたが，作例ではコンクリート枕木とのバランスもあって，経年の汚れがあまり感じられないグレイ系に塗装。パステル粉やドライブラシによる錆色のウェザリングも抑えめにしておきました。

レール側面の錆色の着色にはトミックスのペイントマーカーを使用しており，面相筆で少しずつ塗っていたことに比べると作業時間は大幅に短縮。ベースボードを傾けての作業も，じゃまになるものがないのでストレスなく進みます。レール面に付着した塗膜は当然ながら最後に目の細かいサンドペーパーで磨き取りますが，車止めの前あたりは逆に塗り加えて錆びた様子を表現しました。

なお，この錆色の着色やその前のバラストの塗装の際には，ポイントの転換不具合や通電不良を避けるために，先端レールや基本レールの接触部分には着色をしません。

架線柱を設置する前の作業として残るのは要所に雑草を生やすことぐらいですが，この時に終端部には別個に塗装しておいた架線柱を設置。**写真15**はその作業途中で，右奥の2本のように根元を隠したプラスターには追加塗装を行ないます。**写真16**はそのあたりに，**写真17**は線路に沿

って続く構内通路の脇に表現した雑草で、要所で茂りかたに変化をつけるのも良さそう。実物を観察すると、バラストと通路の境界付近にも雑草がけっこう見られたりします。

また、この時点にはポイントモーターを取付けておきます。準備工作を行なっておいた枕木上に接着固定するだけですが、下側に延びるケーブルのモールドが合板面やバラストなどに当たることもあり、その場合はもちろん現物合わせでカット。スローロッドを動かして、ポイントモーターが転換に影響しないかどうかをしっかり確認しておきます。

いよいよ工作の最終段階で、別個に塗装しておいた架線柱の設置となります。取付孔は既にあけてありますが、プラスターが詰まっている場

合もあるのでドリルでもう1回さらい、さらに錐で孔を拡げて支柱を差し込みやすくしておきました。

架線柱は前述のように少し低く設置することにしました。不要な裾部の取付用ブラケットをカットした支柱をセットしてみると、レール面からビーム下端までのクリアランスは43mm程度がちょうど良さそう。これなら台枠面に2mmほど差し込むことができることになります。ただ、この程度しか入り込まないと支柱を真っ直ぐに立てるのは難しいので、けっきょくエポキシ系接着剤を使ってしっかり固定することにしました。

取付の際には高さを揃えるために、プラ板から高さ43mmに切り出した治具を用意しており、**写真18**のようにマスキングテープでビームに止めて線路面上にセット。治具が4線に渡るような幅の広いものなら、線路と直角方向の支柱の傾きは自動的に是正されるはずで、後は横方向の垂直を出すことに作業を集中できることになります。ただ、実際に取付孔に差し込んでみると、思っていた以上に傾いてしまうものもあり、根元にエポキシ系接着剤を多めに盛ってお

いて、固着状態に近づいた時点に直角定規を当てて修正…という方法を採らざるを得ませんでした。また、支柱の根元には雑草を多めに生やしていますが、これも取付強度の向上が目的で、ここには瞬間接着剤をたっぷりと浸み込ませています。

その　ほか

以上で留置線の工作は完了し、レイアウト本体に接続した運転をできることになりましたが、もちろん時間を見つけて細部に手を加えていくのも良さそう。別項の作例のように乗降台、停止位置標識や一旦停止標識などを取付ければ終端部の印象もかわり、構内通路の端に黄色いラインを入れたり、「横断注意」の看板を立てたりもしたくなってきます。

このほか、作例ではスペース的な

60

都合から設置していませんが，ここで信号機についても触れておきたいと思います。**写真19〜21**に示したのは出区を案内する出発信号機の，**写真22**に示したのは入区を案内する場内信号機の実例。出発信号機はもちろん留置線からの出口部分に立っており，場内信号機は少し手前の本線側で姿を見かけることになります。また，構内移動を案内する設備として入換信号機も挙げられ，**写真23〜25**にその実例を掲げておきます。

　これらの配置は構内の線路構成によってかわり，また，その内容も専門的になってくるのでここでは触れませんが，模型的には出発信号機や場内信号機は本線関係の信号機と考えると良さそう。駅に隣接した留置

線にはそのまま本線へと出ていくものがあり，この場合は出口部分に出発信号機が設置されることになります。一方，入換信号機は構内から構内への移動用と考えるとわかりやすく，留置線を出た列車が構内の別の線路に結ばれているような配線形態の場合に設置。駅へと続く留置線，あるいは留置線へと続く駅にも設置されることになります。このために出発信号機に入換信号機が併設される例も多く見かけるものです。

　さて，最初に触れたように作例の留置線はレイアウト本体に接続して使用するもので，なるべくコンパクトサイズに仕立てることを目指しましたが，このために列車が脱線した時には，そのまま床まで落ちてしまうのではないかと心配です。また，レイアウトに接続する際には，台枠ギリギリのところに立つ架線柱を傷

めることがないとも言えません。

　そのリスクを少しでも減らせるのでは…と，透明プラ板などで作ったカバーで両脇を覆うことも考えましたが，現在，取付を検討しているのは，横に着脱式の台枠を付けて幅を少し拡げておくこと。運搬しやすく，レイアウト本体への接続時にじゃまにならないもの，さらに接続後に折りたたむことができるものができれば最高と思っています。

　思いついて手持ちの素材を使って試作してみたのは**写真26**のような側面のフェンスです。これは車輌基地でも見かけるもので，外側の道路部分だけを内側に折りたためる構造にしておけば，列車の転落を防止できることにもなります。

　一方，**写真27**に示したのは，これなら終端部の架線柱を守れそう…と考えた擁壁で，こちらも手持ちの素材を使って簡単に製作。実物の留置線には周辺がこのような地形となっている例もあるので，このまま留置線本体に接着一体化しても良いように思えます。全体が平坦な留置線だけに，小高くなった地形が加わるだけで入線する列車の表情もかわってくるのではないでしょうか。

大規模留置線の実例

↑構内運転士や誘導担当者のための乗降台。大規模電車基地ならではの設備で，模型化には手持ちのパーツがいくらでも使えそうである。（京王電鉄高幡不動駅）

　最後にご覧いただくのはいつか作ってみたくなる広大な留置線の実例いくつか。たくさんの編成を入線させておき，好きな時に好きな編成を走らせるのは，Nゲージャーの誰もが持つ夢ではないでしょうか。

　模型化を考えると，同サイズでレイアウトを作ることができそうな大きなものとなり，線路数が多いと定尺サイズの合板1枚あたりが必要になるかも知れません。それなりの縮小アレンジをしても家庭には持ち込みにくいものですが，車輌基地ファンなら本線のほうに道床付線路を使うような発想があっても良いのではないでしょうか。もちろん集合式レイアウトのクラブのように，メンバーが集まって運転するレイアウトの場合は，クラブの共用モジュールとして実現できそうにも思えます。

JR東所沢電車区

JR国府津車両センター

JR豊田車両センター

東急電鉄元住吉検車区

西武鉄道小手指車両基地

JR豊田車両センター

東急電鉄長津田検車区

西武鉄道小手指車両基地

東急電鉄長津田検車区

現在はこの6号が発売中となっています

発行・SHIN企画／発売・機芸出版社

（本書発行時点の在庫で，その後に品切れになっている場合があります）

Nゲージ ファイン マニュアル 1
車輌基地のストラクチャー

定価 1980円 (本体1800円＋税10%)

レイアウトの電車基地や機関車基地をリアルに仕立てるために，構内の主要設備である交検庫や仕業庫といった検修庫とその内部，機械式洗浄機や洗浄作業台，パンタグラフ点検台，通電開閉器，給油装置などの工作方法を，多くの説明イラストを交えて徹底解説。密着取材した実物についての解説や数多い参考写真も見逃せません。

Nゲージ ファイン マニュアル 6
線路際のアクセサリー

定価 1980円 (本体1800円＋税10%)

シーナリィやストラクチャーと共に，レイアウトの建設に当って重要なテーマとなるのがアクセサリー類。その的確な配置が表情豊かで生き生きとした世界を創り出すことになります。本書では実物の用途や設置場所，市販パーツの効果的な使用方法，その加工や自作の方法など，本線上や構内に欲しい設備や小物類について詳しく解説。実例写真も数多く掲載しています。

Nゲージ ファイン マニュアル 7
ストラクチャーテクニック〔木造建物〕

定価 1980円 (本体1800円＋税10%)

駅や車輌基地に欲しい木造建物を，市販素材を使って自作する方法をまとめました。作例は駅舎，待合室，便所，ホーム上屋，線路班詰所，詰所や倉庫，農業倉庫，信号所，検修庫などさまざま。豊富な写真やイラストによる工作手順の詳しい解説，参考用の実例写真を数多く集めた内容で，レイアウトを製作中，そして製作を考えているファンにぜひご覧いただきたい1冊です。

Nゲージ ファイン マニュアル 8
イラストで見るレイアウトの製作

定価 1980円 (本体1800円＋税10%)

レイアウト製作のさまざまな工程を，すべてイラストで解説。主な内容は台枠の構成と組立，線路の敷設，ポイントとその転換，鉄橋とトンネル，各種シーナリィ素材，山と地表，川と池，塗装，草と樹木，線路関連のストラクチャーなどいろいろ。表現方法や工作方法などについて，今まであまり紹介されることがなかったアイディアやヒントもできるだけ多く含めています。

Nゲージ ファイン マニュアル 9
市販ストラクチャーの各種改造

定価 1980円 (本体1800円＋税10%)

短時間の作業で印象がかわる工作，製品化されていないものに仕立てる工作，余剰パーツ類が活用できる工作，複数の製品を組合わせる工作，レイアウトサイズや設置場所に合わせて大きさや形態を変更する工作などを集めました。ベースの製品についてはもちろん，使用素材や工具類にも特殊なものは使っていないので，すぐにでも取り掛かっていただける工作テーマばかりです。

Nゲージ ファイン マニュアル 10
模型化したい鉄道風景の実例

定価 1980円 (本体1800円＋税10%)

レイアウトの製作にも欠かせないのが車輌工作の場合と同レベルの実物観察。多くの実例を知ればデフォルメやアレンジの結果にも影響することになり，より自然で，そしてよりレイアウトに似合うものになってくるはずです。本書には蒸気機関車が走っていた時代から現代に到るまでの，模型的に興味深いと思われる写真を多数掲載し，解説も模型ファンの視点で行なっています。

SHIN企画のホームページでは現在発売中のほかの書籍についてもお知らせしています　https://shin-kikaku.jimdofree.com/

Nゲージファインマニュアル 11　　　　2023年2月10日 発行　　　　ISBN978-4-916183-47-7

レイアウトの留置線とその実例

編集／発行者・橋本　真©
発行所・SHIN企画　　〒201-0005 東京都狛江市岩戸南1-1-1-406

発売所・　株式会社 機 芸 出 版 社　　〒157-0072 東京都世田谷区祖師谷1-15-11　　TEL 03 (3482) 6016